하나님의 편지

신약

5

영유아부 교사용

THE GOSPEL PROJECT®

The Gospel Project for Babies and Toddlers

가스펠 프로젝트

신약 5

하나님의 편지

영유아부 교사용

지은이 · LifeWay Kids / 옮긴이 · 권혜신 / 감수 · 김병훈

초판 발행 · 2021. 3. 23 / 등록번호 · 제1988-000080호
등록된 곳 · 서울특별시 용산구 서빙고로65길 38 / 발행처 · 사단법인 두란노서원
영업부 · 02) 2078-3352, 3452, 3752, 3781 / FAX 080-749-3705
편집부 · 02) 2078-3437
활동 연구 · 고은님, 우경신, 유은정, 윤진희, 이현순, 홍선아

책값은 뒤표지에 있습니다.
ISBN 978-89-531-3950-3 04230 / 978-89-531-3772-1 (세트)

홈페이지 · gospelproject.co.kr **두란노몰** · mall.duranno.com

두란노서원은 바울 사도가 3차 전도 여행 때 에베소에서 성령 받은 제자들을 따로 세워 하나님의 말씀으로 양육하던 장소입니다.
사도행전 19장 8-20절의 정신에 따라 첫째 목회자를 돕는 사역과 평신도를 훈련시키는 사역,
둘째 세계선교™와 문서선교단행본·잡지 사역, 셋째 예수문화 및 경배와 찬양 사역, 그리고 가정 · 상담 사역 등을 감당하고 있습니다.
1980년 12월 22일에 창립된 두란노서원은 주님 오실 때까지 이 사역들을 계속할 것입니다.

차례

1단원 인도하시는 하나님

2단원 변화시키시는 하나님

이렇게 활용해 보세요!

단원 개요 1

'가스펠 프로젝트'의 연대기적 큰 흐름 속에서 각 단원의 주제를 살피고, 활동을 계획합니다.

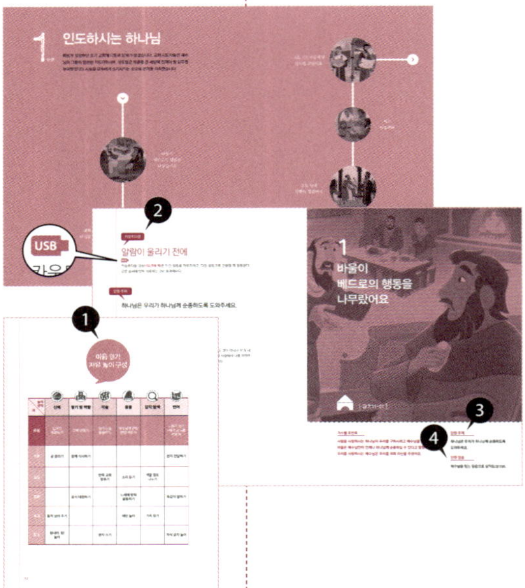

1 **마음 열기 자유 놀이 구성 :** 단원 메시지와 연계된 다양한 영역 활동을 소개합니다.

2 **카운트다운 :** 단원별로 제공되는 3분 카운트다운 영상으로, 장소를 옮기거나 시간을 구분 짓는 방법으로 활용할 수 있습니다.

3 **단원 주제 :** 단원의 핵심 메시지를 매 과에서 반복하여 익힙니다.

4 **단원 암송 :** 단원의 성경 구절을 외우기 쉽도록 짧게 줄인 문장입니다. 성경 구절 전체나 밑줄 표시된 부분을 활용해도 됩니다.

USB

＊지도자용 팩의 USB에 영상, 그림, 음원, 악보 등의 자료가 있습니다.

말씀 묵상 2

말씀을 묵상하며 기도로 준비합니다.

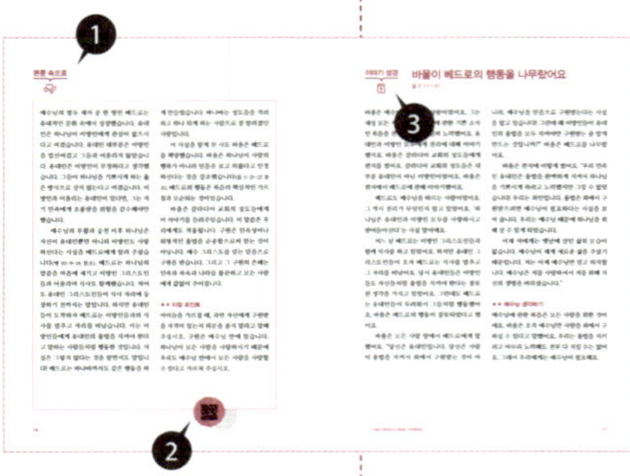

1 **본문 속으로 :** 이 과를 준비하며 묵상할 내용과 티칭 포인트를 제시합니다. 청장년용 《가스펠 프로젝트》 교재로 교사 소그룹 모임에서 더 깊은 묵상을 나누며 성경 읽기를 병행할 것을 권유합니다. 부모 소그룹 모임은 교회와 가정을 연계해 교육 효과를 더욱 높여 줄 것입니다.

2 **교사 지도 가이드 QR 코드 :** 가스펠 프로젝트 홈페이지(gospelproject.co.kr)에서 제공하는 각 과별 교사 지도 가이드 영상 링크로 연결합니다.

3 **이야기 성경 :** 성경 본문을 이야기 형식으로 요약한 내용입니다. 같은 내용의 설교 영상이 지도자용 팩에 있습니다.

가스펠 준비 3

자유 놀이 활동을 영역별로 구성합니다.

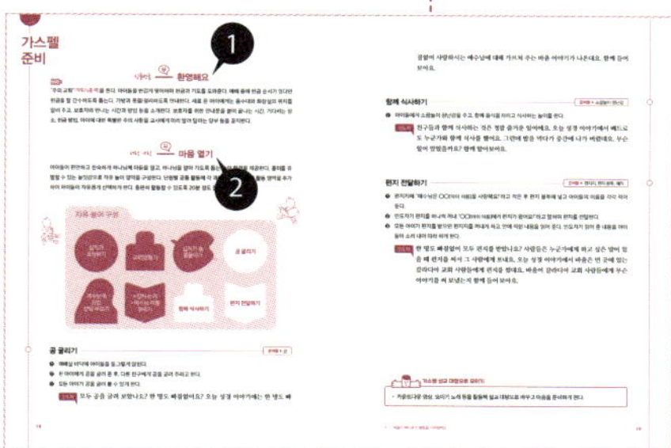

1 **싱글벙글 환영해요 :** 아이들을 맞이할 때 염두에 두어야 할 정보를 담았습니다.

2 **너랑 나랑 마음 열기 :** 영유아가 마음을 열고 하나님을 만날 수 있도록 돕는 자유 선택 활동을 소개합니다. 단원별 공통 활동으로 환경에 익숙해지게 하고, 각 과의 주제에 맞는 특별 활동을 추가하여 새로운 흥미를 유발하게 합니다.

가스펠 설교 4

성경 이야기 – 가스펠 포인트 – 복음 초청 – 기도 – 암송송 – 가스펠 스토리 순서로 진행되는 설교 가이드입니다.

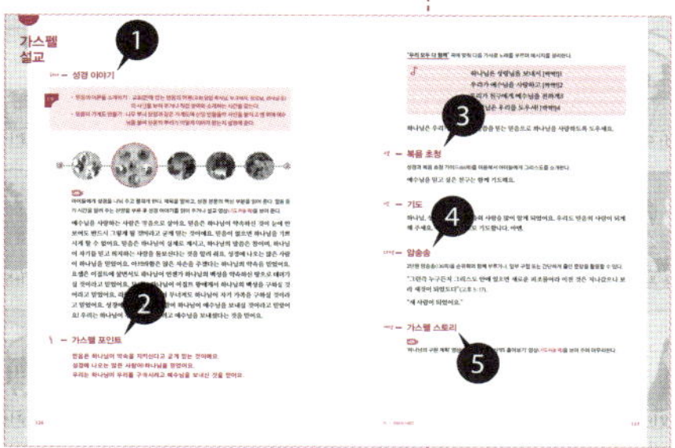

1 **성경 이야기 :** 각 과의 성경 이야기와 진행 팁을 소개합니다.

2 **가스펠 포인트 :** 각 과의 핵심 메시지입니다. 모든 성경 이야기는 그리스도와 연결됩니다.

3 **복음 초청 :** 복음을 전하고 영접 기도로 이끌 수 있는 초청 메시지를 담았습니다.

4 **암송송 :** 단원의 핵심 주제가 담긴 성경 구절을 쉽게 익힐 수 있는 찬양입니다. 지도자용 팩과 홈페이지에 있는 손유희 영상을 활용할 수 있습니다.

5 **가스펠 스토리 :** 마지막 과에서는 훑어보기 영상을 보며 한 권의 이야기를 총 정리합니다.

가스펠 활동 5

알콩달콩 소그룹 – 영차, 영차 대그룹 – 소곤소곤 꿀~꺽 간식 – 신나는 마무리 순서로 진행되는 소그룹 가이드입니다.

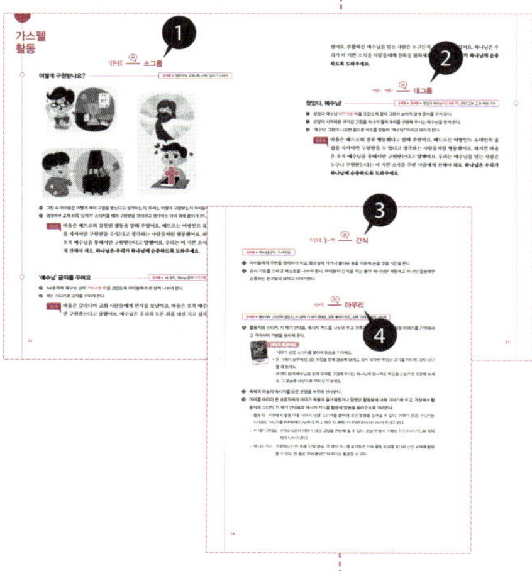

1 **알콩달콩 소그룹 :** 성경 이야기에서 배운 내용들을 되새기며 즐겁게 놀이할 수 있는 다양한 활동을 소개합니다. 영유아부 교재를 풍성하게 활용할 수 있는 교수 방법과 다양한 재료를 활용한 창의 놀이 활동을 제안합니다.

2 **영차, 영차 대그룹 :** 친구와 함께 몸을 움직이며 가스펠 포인트를 기억하는 대그룹 놀이 활동을 소개합니다.

3 **소곤소곤 꿀~꺽 간식 :** 각 과에 어울리는 간식을 소개합니다.

4 **신나는 마무리 :** 가정 연계 자료(활동지, '이야기 성경' 스티커, 데시지 카드)를 나누어 주며 마무리하는 과정을 안내합니다.

발간사

이형기
두란노서원 원장

두란노서원을 통해 라이프웨이(LifeWay)의 《가스펠 프로젝트》 성경 공부 교재 시리즈를 발간할 수 있도록 인도하신 하나님께 감사드립니다. 험한 소리로 가득한 세상에 이 책을 다릿돌처럼 놓습니다. 우리 삶은 말씀을 만난 소리로 풍성해져야 합니다. 주님을 만난 기쁨의 소리, 진실 앞에서 탄식하는 소리, 죄를 씻는 울음소리, 소망을 품은 기도 소리로 가득해야 합니다.

《가스펠 프로젝트》는 신구약을 관통하는 예수 그리스도의 복음을 발견하고, 그 가르침을 삶에 적용하는 지혜를 얻도록 기획한 성경 공부 교재입니다. 어린아이부터 어른에 이르기까지 생애주기에 따른 복음 메시지를 잘 배울 수 있습니다. 또한, 거짓 진리가 미혹하는 이 시대에 건강한 신학과 바른 교리로 말씀을 조명하여 성도의 신앙이 좌로나 우로나 치우치지 않도록 돕습니다.

두란노서원은 지금까지 "오직 성경, 복음 중심, 초교파적 관점"을 바탕으로 한국 교회와 성도를 꾸준히 섬겨 왔습니다. 오직 성경의 정신에 입각해 책과 잡지를 출판해 왔으며, 성경에 근거한 복음 중심의 신학을 포기한 적이 없습니다. 그리고 교단과 교파를 초월하여 교회와 성도가 하나님 나라를 바라볼 수 있도록 돕기 위해 노력해 왔습니다. 《가스펠 프로젝트》는 두란노가 지켜 온 세 가지 가치를 충실하게 담은 책입니다.

성경은 구원을 위한 책이며, 구원사의 주인공은 예수 그리스도입니다. 창세기부터 요한계시록까지 오직 예수 그리스도의 복음만을 전하는 《가스펠 프로젝트》 성경 공부 교재를 통해 복음의 은혜와 진리를 깊이 경험하고, 복음 중심의 삶이 마음 판에 새겨지기를 바랍니다. 그리고 예수 그리스도 복음에 굳게 선 한 사람의 영향력이 가정과 교회와 사회에 흘러감으로써 거룩한 하나님 나라가 확산되어 가기를 소망합니다.

감수사

김병훈

합동신학대학원대학교
조직신학 교수

두란노가 출간하는 《가스펠 프로젝트》는 무엇보다도 전통적으로 교회가 풀어 온 흐름을 충실히 따라 성경을 해설하고 있습니다. 그리고 그 방향은 궁극적으로 예수 그리스도를 향해 나아가고 있습니다. 이것은 예수님이 구약과 신약의 모든 성경이 자신을 가리키고 있다고 하신 말씀에 비추어 매우 타당한 것입니다. 게다가 그리스도 중심적 해설을 무리하게 전개하지 않습니다. 각 본문에서 하나님의 구원 언약과 그것을 실현하시는 하나님을 드러내면서, 그리스도의 예표적 설명이 가능한 사건을 놓치지 않고 풀어내고 있습니다.

성경 공부 교재는 명시적으로 혹은 암시적으로 제시하는 교리적 진술이 교리 체계상 건전해야 합니다. 《가스펠 프로젝트》는 99개 조에 이르는 핵심 교리를 일목요연하게 제시하여 교리의 건전성을 확인할 수 있도록 도움을 줍니다. 《가스펠 프로젝트》의 교리는 교파를 막론하고, 예수 그리스도의 복음에 충실한 복음주의 교회들에게 환영받을 만합니다. 물론 교파마다 약간의 이견을 갖는 부분들이 있을 수 있겠지만, 각 교회에서 교재를 활용하는 데에 무리가 없을 것입니다. 《가스펠 프로젝트》의 특징은 각 과에서 학습한 내용을 핵심 교리와 연결해 주며, 그 결과 그리스도의 복음에 관련한 교리적 이해를 강화시킨다는 데에 있습니다.

끝으로 《가스펠 프로젝트》는 어떤 성경 주해서나 교리 학습서가 갖지 못하는 훌륭한 장점을 가지고 있습니다. 그것은 학습자를 하나님과 그리스도의 복음 앞으로 이끌며, 자신의 신앙과 삶을 돌아보도록 하는 적용의 적실성과 훈련의 효과입니다. 아울러 본문과 관련한 교회사적으로 또 주석적으로 중요한 신학자와 목사의 어록을 제시하고, 심화 토론을 위한 질문을 달아 주고, 선교적 안목을 열어 주는 적용 질문들을 더해 준 것은 《가스펠 프로젝트》에서 얻을 수 있는 커다란 유익입니다.

추천할 만한 마땅한 성경 공부 교재를 찾기가 쉽지 않은 현실에서 《가스펠 프로젝트》는 성경을 개괄적으로 매주 한 과씩 3년의 기간 동안 일목요연하게, 그리고 그리스도 중심적으로 공부하도록 이끌어 준다는 점에서, 한국 교회의 기초를 성경 위에 놓는 일에 커다란 공헌을 할 것으로 믿어 의심치 않습니다.

《가스펠 프로젝트》는 한 영혼 한 영혼을 향한 하나님의 멈추지 않는 사랑을 깨닫게 하며, 아들을 내어 주신 아버지 하나님의 놀라운 구원 계획에 눈뜨게 하는 교재입니다. 성경을 꿰뚫는 변함없는 메시지이신 예수 그리스도를 만나게 하는 교재입니다. 무엇보다도《가스펠 프로젝트》 영유아부 교재의 장점은 아이들의 특성에 맞추어 예배를 세울 수 있도록 다양한 놀이 활동과 운영 방식을 활용했다는 것입니다. 흥미로운 반복 학습을 통해 기독교 핵심 주제를 가까이 접하고, 그것을 가정과 연계하도록 돕습니다. 또 각종 영상 자료와 그림 자료를 통해 아이들을 교육하는 현장에 큰 활력을 불어넣습니다. 영유아의 눈높이에 맞춰 신앙을 교육하고자 애쓰는 부모와 교사, 다음 세대를 걱정하는 교회 지도자들에게 이 교재를 기쁜 마음으로 추천합니다.

김요셉 _ 중앙기독학교 교목, 원천침례교회 목사

추천사

우리 시대의 전 세계적 교회 부흥은 두 가지 샘을 갖고 있습니다. 한 샘은 오순절 부흥 운동의 샘입니다. 이 샘으로 많은 시대의 목마른 영혼들이 목마름을 해갈했습니다. 또 하나의 샘은 성경 연구의 샘입니다. 남침례교 주일학교 운동은 이 샘의 개척자입니다. 이 샘으로 지금도 많은 성도가 목마름을 해갈하고 있습니다. 미국 남침례교 라이프웨이 출판사는 이러한 사역을 충실히 감당해 왔습니다.《가스펠 프로젝트》는 모든 필요를 공급하는 원천이 될 것입니다.《가스펠 프로젝트》는 쉬우면서도 결코 피상적이지 않습니다. 믿음의 단계를 따라 하나님의 자녀들에게 꼭 필요한 복음의 진수를 맛보게 해 줄 것입니다.

이동원 _ 지구촌교회 원로 목사, 지구촌 목회리더십센터 대표

《가스펠 프로젝트》는 예수 그리스도를 중심으로 성경을 배웁니다. 성경이 어떻게 그리스도와 연결되어 있는지, 또 성도의 삶이 하나님의 구원 계획에 어떻게 연결되어야 하는지 구체적으로 제시합니다. 특히《가스펠 프로젝트》는 하나의 본문으로 각 연령에 맞게 구성한 교재를 제공하여 하나의 본문으로 전 세대를 연결하고, 가정과 교회를 하나 되게 합니다. 신앙의 전수가 중요한 시대에 성도와 교회와 가정이 한마음으로 다음 세대를 준비시키기에 적합합니다. 특히 가정에서 부모가 자녀와 말씀으로 대화를 나눌 수 있게 하여 자녀 신앙 교육에 도움이 될 것입니다.

이재훈 _ 온누리교회 담임 목사

어려서부터 성경을 알아 가는 것은 평생 교육의 가장 중요한 기본입니다. 디모데가 어린 시절부터 어머니 유니게로부터 성경을 배운 것처럼, 우리의 다음 세대는 영유아 시절부터 성경을 배워야 합니다. 《가스펠 프로젝트》는 누구나 쉽고 재미있게 가르치고 배울 수 있는, 영유아들을 위한 성경 교육 교재입니다. 이미 미국 남침례교단을 중심으로 이 교재의 탁월성이 입증되었는데, 우리나라의 상황에 맞게 수정하고 보완된 이 교재가 영유아들을 하나님의 사람으로 세우는 데에 큰 역할을 감당할 것입니다. 《가스펠 프로젝트》가 어느 때보다도 다음 세대 신앙의 위기를 경험하고 있는 한국교회 영유아 교육에 새로운 활력소가 되기를 기대합니다. 영유아를 키우고 가르치는 모든 한국교회의 영유아부 교역자와 교사, 그리고 부모에게 추천합니다.

박상진 _ 장로회신학대학교 기독교교육과 교수

《가스펠 프로젝트》 영유아부 교재는 언어 발달과 표현의 한계를 가진 영유아들이 복음을 영접하고 말씀 양육을 받아들이는 가능성을 보여 준 교재입니다. 교회와 가정, 교사와 부모가 영유아와 긴밀하게 상호 작용하도록 하는 내용을 일관성 있게 제시하여 양육자를 통한 태도 교육과 반복 학습이 중요하게 작용하는 시기를 지나고 있는 영유아들에게 적합합니다. 또한 전 연령에 맞는 교재가 갖춰져 있으므로 모든 가족, 더 나아가 모든 교회의 구성원이 같은 말씀으로 대화를 나눌 수 있습니다. 이 교재를 통해 주님이 주의 어린이들에게 은총의 단비를 부어 주시어 말씀의 싹이 돋게 하시고, 영유아들이 주 예수 그리스도를 닮아서 지혜롭게 자라기를 바랍니다.

이영희 _ 카도쉬비전센터 이스라엘교육연구원 대표, 《토라 태교》 저자

《가스펠 프로젝트》 영유아부 교재 발간으로 어린아이들이 교회에서는 교회학교 교사와, 가정에서는 부모와 성경을 공부하여 하나님의 말씀을 가까이할 수 있게 됨을 축하합니다. 이 교재는 교회학교 교사가 아이들에게 말씀을 효과적으로 가르칠 수 있는 교수 매체로서, 아이들과 함께 다양한 놀이 및 활동을 할 수 있도록 안내합니다. 교재의 삽화는 성경의 주요 본문을 잘 드러내어 성경 내용을 이해하는 데 도움을 줍니다. 활동 자료는 아이들의 발달 특성을 고려하여 자유 선택 활동을 강화하고, 움직임이 많은 대그룹 놀이 활동을 마무리에 담고 있습니다. 가정 활동으로 제공하는 이야기 성경 부분의 스티커 활동은 영유아들에게 성경 공부에 대한 흥미를 더해 줍니다. 《가스펠 프로젝트》 영유아부 교재를 사용하는 교회학교 교사, 부모, 어린아이들은 예수 그리스도를 배우고 본받아 하나님의 온전한 백성이 되기 바랍니다.

장화선 _ 안양대학교 기독교교육과 교수

1단원 인도하시는 하나님

빠르게 성장하던 초기 교회에 다툼과 문제가 생겼습니다. 교회 지도자들은 예수님이 그들의 영원한 지도자이시며, 성도들은 복음을 온 세상에 전해야 할 임무를 부여받았다는 사실을 모두에게 상기시키는 것으로 문제를 처리했습니다.

바울이
베드로의 행동을
나무랐어요

교회가
나뉘었어요

교회 지도자들에게
편지를 보냈어요

서로
사랑하라

교회 안에
차별이 생겼어요

마음 열기 자유 놀이 구성

놀이 영역 / 과	신체	쌓기 및 역할	미술	음률	감각 탐색	언어
공통	십자가 표현하기	교회 만들기	십자가 솜 물들이기	예수님에 관한 찬양 부르기		>편지 쓰기 >예수님 이름 부르기
1과	공 굴리기	함께 식사하기				편지 전달하기
2과			반쪽 교회 맞추기	소리 듣기	색깔 점토 나누기	
3과		음식 대접하기		노래에 맞춰 율동하기		똑같이 말하기
4과	동작 보여 주기			패턴 놀이	가족 찾기	
5과	힘내라, 힘! 놀이		편지 쓰기			자석 글자 놀이

십자가 표현하기

준비물 ▶ 다양한 모양의 십자가

아이들에게 다양한 모양의 십자가를 주고 관찰하게 한다. 십자가가 친숙해지면 몸으로 십자가를 표현해 보라고 한다. 팔을 뻗고 다리를 모으거나 두 팔을 엇갈리게 하는 등 다양한 방법으로 십자가를 표현하게 한다.

교회 만들기

준비물 ▶ 교회의 다양한 모습이 담긴 사진, 블록, 십자가

다양한 모습의 교회 사진을 보여 주고 아이들이 관찰하도록 도와준다. 블록과 십자가로 자유롭게 교회를 지어 보게 한다.

십자가 솜 물들이기

준비물 ▶ 비닐 테이블보, 8절 도화지, 매직, 화장 솜, 양면테이프, 물약 통, 물, 물감

비닐 테이블보를 예배실 바닥에 펼치고, 그 위에 8절 도화지를 올린 후 매직으로 십자가를 그린다. 십자가 그림 안에 화장 솜을 양면테이프로 붙이고, 물약 통에는 물과 물감을 넣어 염색액을 만들어 둔다. 아이들에게 십자가 위에 있는 화장 솜에 물약 통의 염색액을 짜서 물들이는 방법을 보여 준다. 아이들이 솜을 물들이게 한 후 솜이 마를 때까지 예배실 벽이나 창가에 둔다.

예수님에 관한 찬양 부르기

준비물 ▶ 예수님에 관한 찬양 음원, 음원 재생 기기, 다양한 종류의 타악기

"예수 사랑하심은", "좋으신 하나님" 등 아이들에게 익숙한 예수님에 관한 찬양을 함께 들으며 따라 부른다. 타악기를 준비해 연주하며 찬양해도 좋다.

편지 쓰기

준비물 ▶ 편지지, 편지 봉투, 우표 모양 스티커, 색연필, 간이 우편함

친구에게 보내는 편지를 편지지에 그리거나 쓰게 한다. 편지를 완성하면 봉투에 넣게 하고, 봉투 겉면에 받는 친구의 이름을 인도자가 적어 준다. 우표 모양 스티커를 붙인 후 간이 우편함에 넣게 한다. 예배 후 우편함에서 편지를 꺼내 봉투에 적힌 이름대로 아이들에게 전달해 준다.

예수님 이름 부르기

준비물 ▶ 장난감 마이크

아이들에게 "나를 가장 사랑하시는 분은?", "나의 기도를 들으시는 분은?", "우리를 지켜주시는 분은?" 등의 질문을 하고 대답할 아이에게 장난감 마이크를 갖다 댄다. 질문에 '예수님 이라고 답할 수 있도록 지도한다.

카운트다운

알람이 울리기 전에

USB

카운트다운 영상(지도자용 팩)은 이전 활동을 마무리하고, 다음 활동으로 전환할 때 활용한다. 같은 순서에 반복 사용하는 것이 효과적이다.

단원 주제

하나님은 우리가 하나님께 순종하도록 도와주세요.

단원 암송

예수님을 믿는 믿음으로 살아요.

내가 그리스도와 함께 십자가에 못 박혔나니 그런즉 이제는 내가 사는 것이 아니요 오직 내 안에 그리스도께서 사시는 것이라 이제 내가 육체 가운데 사는 것은 나를 사랑하사 나를 위하여 자기 자신을 버리신 하나님의 아들을 믿는 믿음 안에서 사는 것이라(갈 2:20).

1 바울이 베드로의 행동을 나무랐어요

[갈 2:11~21]

가스펠 포인트

사람을 사랑하시는 하나님이 우리를 구하시려고 예수님을 브내셨어요.
바울은 예수님만이 언제나 하나님께 순종하실 수 있다고 말했어요.
우리를 사랑하시는 예수님이 우리를 위해 자신을 주셨어요.

단원 주제

하나님은 우리가 하나님께 순종하도록 도와주세요.

단원 암송

예수님을 믿는 믿음으로 살아요(갈 2:20).

본문 속으로

예수님의 열두 제자 중 한 명인 베드로는 유대적인 문화 속에서 성장했습니다. 유대인은 하나님이 이방인에게 관심이 없으시다고 여겼습니다. 유대인 대부분은 이방인을 업신여겼고 그들과 어울리지 않았습니다. 유대인은 이방인이 부정하다고 생각했습니다. 그들이 하나님을 기쁘시게 하는 옳은 방식으로 살지 않는다고 여겼습니다. 이방인과 어울리는 유대인이 있다면, 그는 자기 민족에게 조롱받을 위험을 감수해야만 했습니다.

예수님의 부활과 승천 이후 하나님은 자신이 유대인뿐만 아니라 이방인도 사랑하신다는 사실을 베드로에게 알려 주셨습니다(행 10:9~16 참조). 베드로는 하나님의 말씀을 마음에 새기고 이방인 그리스도인들과 어울리며 식사도 함께했습니다. 적어도 유대인 그리스도인들이 식사 자리에 등장하기 전까지는 말입니다. 하지만 유대인들이 도착하자 베드로는 이방인들과의 식사를 멈추고 자리를 떠났습니다. 이는 이방인들에게 유대인의 율법을 지켜야 한다고 말하는 사람들처럼 행동한 것입니다. 사실은 그렇지 않다는 것을 알면서도 말입니다! 베드로는 바나바까지 같은 행동을 하게 만들었습니다. 바나바는 성도들을 격려하고 하나 되게 하는 사람으로 잘 알려졌던 사람입니다.

이 사실을 알게 된 사도 바울은 베드로를 책망했습니다. 바울은 하나님이 사람의 행위가 아니라 믿음을 보고 의롭다고 인정하신다는 것을 강조했습니다(롬 3:21~22 참조). 베드로의 행동은 복음의 핵심적인 가르침과 모순되는 것이었습니다.

바울은 갈라디아 교회의 성도들에게 이 이야기를 들려주었습니다. 이 말씀은 우리에게도 적용됩니다. 구원은 민족성이나 외형적인 율법을 순종함으로써 얻는 것이 아닙니다. 예수 그리스도를 믿는 믿음으로 구원을 받습니다. 그리고 그 구원의 은혜는 민족과 족속과 나라를 불문하고 모든 사람에게 값없이 주어집니다.

●● 티칭 포인트

아이들을 가르칠 때, 과연 자신에게 구원받을 자격이 있는지 의문을 품지 말라고 말해 주십시오. 구원은 예수님 안에 있습니다. 하나님이 모든 사람을 사랑하시기 때문에 우리도 예수님 안에서 모든 사람을 사랑할 수 있다고 가르쳐 주십시오.

이야기 성경

바울이 베드로의 행동을 나무랐어요

갈 2:11~21

바울은 예수님을 따르는 사람이었어요. 그는 세상 모든 사람에게 예수님에 관한 기쁜 소식인 복음을 전하기 위해 열심히 노력했어요. 유대인과 이방인 모두에게 진리에 대해 이야기했지요. 바울은 갈라디아 교회의 성도들에게 편지를 썼어요. 갈라디아 교회의 성도들은 대부분 유대인이 아닌 이방인이었어요. 바울은 편지에서 베드로에 관해 이야기했어요.

베드로도 예수님을 따르는 사람이었어요. 그 역시 진리가 무엇인지 알고 있었어요. '하나님은 유대인과 이방인 모두를 사랑하시고 받아들이신다'는 사실 말이에요.

어느 날 베드로는 이방인 그리스도인들과 함께 식사를 하고 있었어요. 하지만 유대인 그리스도인들이 오자 베드로는 식사를 멈추고 그 자리를 떠났어요. 당시 유대인들은 이방인들도 자신들처럼 율법을 지켜야 한다는 잘못된 생각을 가지고 있었어요. 그런데도 베드로는 유대인들이 두려워서 그들처럼 행동했어요. 바울은 베드로의 행동이 잘못되었다고 했어요.

바울은 모든 사람 앞에서 베드로에게 말했어요. "당신은 유대인입니다. 당신은 사람이 율법을 지켜서 죄에서 구원받는 것이 아니라, 예수님을 믿음으로 구원받는다는 사실을 알고 있습니다! 그런데 왜 이방인들이 유대인의 율법을 모두 지켜야만 구원받는 줄 알게 만드는 것입니까?" 바울은 베드로를 나무랐어요.

바울은 편지에 이렇게 썼어요. "우리 민족인 유대인은 율법을 완벽하게 지켜서 하나님을 기쁘시게 하려고 노력했지만 그럴 수 없었습니다! 우리는 죄인입니다. 율법은 죄에서 구원받으려면 예수님이 필요하다는 사실을 보여 줍니다. 우리는 예수님 때문에 하나님을 위해 살 수 있게 되었습니다.

이제 저에게는 옛날에 살던 삶의 모습이 없습니다. 예수님이 제게 새로운 삶을 주셨기 때문입니다. 저는 이제 예수님만 믿고 의지합니다. 예수님은 저를 사랑하셔서 저를 위해 자신의 생명을 버리셨습니다."

●● 예수님 생각하기

예수님에 관한 복음은 모든 사람을 위한 것이에요. 바울은 오직 예수님만 사람을 죄에서 구하실 수 있다고 말했어요. 우리는 율법을 지키려고 아무리 노력해도 전부 다 지킬 수는 없어요. 그래서 우리에게는 예수님이 필요해요.

가스펠 준비

싱글벙글 — 환영해요

USB

"주의 교회"(지도자용 팩)을 튼다. 아이들을 반갑게 맞이하며 헌금과 기도를 도와준다. 예배 중에 헌금 순서가 있다면 헌금을 잘 간수하도록 돕는다. 가방과 옷을 정리하도록 안내한다. 새로 온 아이에게는 음수대와 화장실의 위치를 알려 주고, 보호자와 만나는 시간과 방법 등을 소개한다. 보호자를 위한 안내문을 붙여 끝나는 시간, 기다리는 장소, 헌금 방법, 아이에 대한 특별한 주의 사항을 교사에게 미리 알려 달라는 당부 등을 공지한다.

너랑 나랑 — 마음 열기

아이들이 편안하고 친숙하게 하나님께 마음을 열고, 하나님을 알아 가도록 돕는 놀이 환경을 제공한다. 흥미를 유발할 수 있는 놀잇감으로 자유 놀이 영역을 구성한다. 단원별 공통 활동에 각 과의 주제와 연결된 활동 영역을 추가하여 아이들이 자유롭게 선택하게 한다. 충분히 활동할 수 있도록 20분 정도 할애하는 것이 좋다.

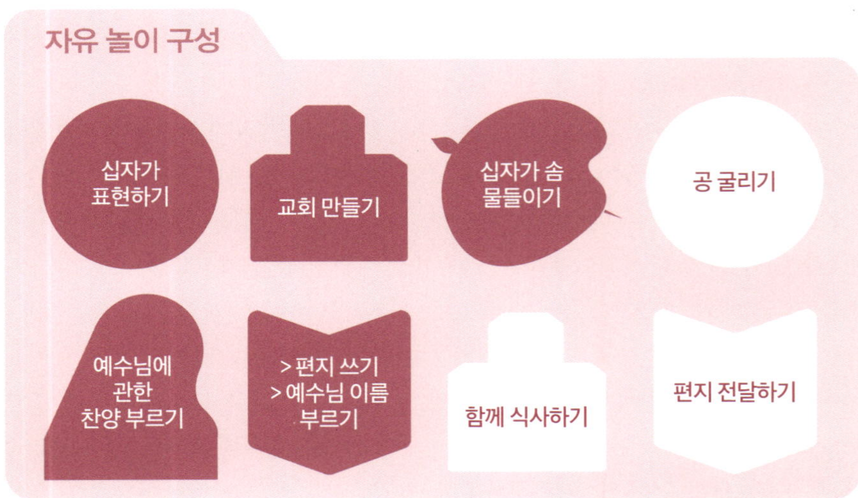

공 굴리기

준비물 ▶ 공

❶ 예배실 바닥에 아이들을 둥그렇게 앉힌다.

❷ 한 아이에게 공을 굴려 준 후, 다른 친구에게 공을 굴려 주라고 한다.

❸ 모든 아이가 공을 굴려 볼 수 있게 한다.

인도자 모두 공을 굴려 보았나요? 한 명도 빠짐없이요? 오늘 성경 이야기에는 한 명도 빠짐없이 사랑하시는 예수님에 대해 가르쳐 주는 바울 이야기가 나온대요. 함께 들어 보아요.

함께 식사하기

준비물 ▶ 소꿉놀이 장난감

❶ 아이들에게 소꿉놀이 장난감을 주고, 함께 음식을 차리고 식사하는 놀이를 한다.

인도자 친구들과 함께 식사하는 것은 정말 즐거운 일이에요. 오늘 성경 이야기에서 베드로도 누군가와 함께 식사를 했어요. 그런데 밥을 먹다가 중간에 나가 버렸대요. 무슨 일이 있었을까요? 함께 알아보아요.

편지 전달하기

준비물 ▶ 편지지, 편지 봉투, 매직

❶ 편지지에 "예수님은 ○○[아이 이름]을 사랑해요!"라고 적은 후 편지 봉투에 넣고 아이들의 이름을 각각 적어 둔다.

❷ 인도자가 편지를 하나씩 꺼내 "○○[아이 이름]에게 편지가 왔어요!"라고 말하며 편지를 전달한다.

❸ 모든 아이가 편지를 받으면 편지지를 꺼내게 하고, 안에 적힌 내용을 읽어 준다. 인도자가 읽어 준 내용을 아이들이 소리 내어 따라 하게 한다.

인도자 한 명도 빠짐없이 모두 편지를 받았나요? 사람들은 누군가에게 하고 싶은 말이 있을 때 편지를 써서 그 사람에게 보내요. 오늘 성경 이야기에서 바울은 먼 곳에 있는 갈라디아 교회 사람들에게 편지를 썼대요. 바울이 갈라디아 교회 사람들에게 무슨 이야기를 써 보냈는지 함께 들어 보아요.

가스펠 설교 대형으로 모이기

- 카운트다운 영상, 모이기 노래 등을 활용해 설교 대형으로 바꾸고 마음을 준비하게 한다.

가스펠 설교

하나 — 성경 이야기

tip

• 바울의 편지 읽기 : 성경 이야기 중 바울의 편지 부분을 편지지에 쓴다. 편지지를 봉투에 넣었다가 해당 내용에서 편지를 꺼내 읽어 준다.

USB

아이들에게 성경을 나눠 주고 펼치게 한다. 제목을 말하고, 성경 본문의 핵심 부분을 읽어 준다. 말씀 듣기 시간을 알려 주는 찬양을 부른 후 성경 이야기를 읽어 주거나 설교 영상(지도자용 팩)을 보여 준다.

바울은 유대인, 이방인을 가리지 않고 모든 사람에게 예수님을 전했어요. 예수님은 모든 그리스도인이 그렇게 하길 바라세요. 예수님을 믿는 어떤 유대인들은 유대인이 아닌 그리스도인도 유대인처럼 율법이 말하는 대로 먹고, 율법대로 살아야 구원받는다고 생각했어요. 베드로는 유대인이 아닌 이방인과 함께 식사를 했어요. 하지만 유대인 그리스도인들이 오자 베드로는 식사를 멈추고 그 자리를 떠났어요! 바울은 베드로를 보고 속상했어요. 그래서 베드로에게 그가 하나님의 계획을 따르고 있지 않다고 말했어요. 바울이 말했어요. "오직 예수님만 우리를 구원하십니다. 하나님께 언제나 순종할 수 있는 분은 예수님뿐입니다!" 바울은 유대인이 아닌 그리스도인들에게 편지를 썼어요. 그는 "나는 예전의 잘못된 삶을 버렸습니다. 이제는 율법을 위해 살지 않습니다. 나를 사랑하시는 예수님이 나를 위해 자기 생명을 주셨기 때문에 나는 이제 새로운 삶을 삽니다."

둘 — 가스펠 포인트

사람을 사랑하시는 하나님이 우리를 구하시려고 예수님을 보내셨어요.
바울은 예수님만이 언제나 하나님께 순종하실 수 있다고 말했어요.
우리를 사랑하시는 예수님이 우리를 위해 자신을 주셨어요.

"나처럼 해 봐요" 곡에 맞춰 다음 가사로 노래를 부르며 메시지를 정리한다.

> 하나님 우리를 도와요
> 순종 – 하도록 도와요
> 사랑 – 하도록 도와요
> 아이참 기쁘구나.

바울은 하나님의 아들이신 예수님만이 언제나 하나님께 순종하실 수 있다고 말했어요. **하나님은** 우리에게 성령을 주셔서 **우리가 하나님께 순종하도록 도와주세요.**

셋 — 복음 초청

성경과 복음 초청 가이드(65쪽)를 이용해서 아이들에게 그리스도를 소개한다.

예수님을 믿고 싶은 친구는 함께 기도해요.

넷 — 기도

사랑의 하나님, 우리도 바울처럼 예수님의 말씀과 사랑을 많은 사람에게 전할 수 있도록 도와주세요. 예수님 이름으로 기도합니다. 아멘.

다섯 — 암송송

1단원 암송송(134쪽)을 손유희와 함께 부르거나, 일부 구절 또는 간단하게 줄인 문장을 활용할 수 있다.

"내가 그리스도와 함께 십자가에 못 박혔나니 그런즉 이제는 내가 사는 것이 아니요 오직 내 안에 그리스도께서 사시는 것이라 이제 내가 육체 가운데 사는 것은 나를 사랑하사 나를 위하여 자기 자신을 버리신 하나님의 아들을 믿는 믿음 안에서 사는 것이라"(갈 2:20).

"예수님을 믿는 믿음으로 살아요."

알콩달콩 소그룹

어떻게 구원받나요?

준비물 ▶ 영유아부 교재 4쪽, 41쪽 '십자가' 스티커

❶ 그림 속 아이들은 어떻게 해야 구원을 받는다고 생각하는지, 우리는 어떻게 구원받는지 아이들에게 물어본다.

❷ 영유아부 교재 41쪽 '십자가' 스티커를 떼어 아이들 가슴에 붙이며 "예수님을 믿어야 구원을 받아요"라고 말해 주라고 한다.

인도자 바울은 베드로의 행동이 잘못되었다고 말했어요. 베드로는 이방인도 유대인의 율법을 지켜야만 구원받을 수 있다고 생각하는 사람들처럼 행동했어요. 하지만 바울은 오직 예수님을 통해서만 구원받는다고 말했어요. 우리는 이 기쁜 소식을 사람들에게 전해야 해요. **하나님은 우리가 하나님께 순종하도록 도와주세요.**

'예수님 글자'를 꾸며요

USB

준비물 ▶ A4 용지, '예수님 글자'(지도자용 팩), 하트 스티커

❶ A4 용지에 '예수님 글자'(지도자용 팩)를 프린트해 아이들에게 한 장씩 나누어 준다.

❷ 하트 스티커로 글자를 꾸미게 한다.

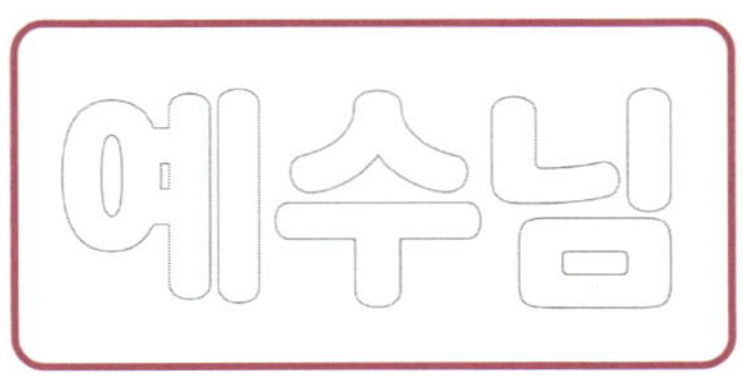

인도자 바울은 갈라디아 교회 사람들에게 편지를

보냈어요. 바울은 오직 예수님을 통해서만 구원받는다고 말했어요. 예수님은 우리의 모든 죄를 대신 지고 십자가에서 죽으셨어요. 부활하신 예수님을 믿는 사람은 누구든지 구원받을 수 있어요. 하나님은 우리가 이 기쁜 소식을 사람들에게 전하길 원하세요. **하나님은 우리가 하나님께 순종하도록 도와주세요.**

영차, 영차 — **대그룹**

USB

찾았다, 예수님!

준비물 ▶ '찾았다 예수님' 그림(지도자용 팩), 찬양 음원, 음원 재생 기기

❶ '찾았다 예수님' 그림(지도자용 팩)을 프린트해 잘라 그림이 보이지 않게 종이를 구겨 둔다.

❷ 찬양이 시작되면 구겨진 그림을 하나씩 펼쳐 우리를 구원해 주시는 예수님을 찾게 한다.

❸ '예수님' 그림이 나오면 몸으로 하트를 만들며 "예수님!"이라고 외치게 한다.

인도자 바울은 베드로의 잘못 행동했다고 말해 주었어요. 베드로는 이방인도 유대인의 율법을 지켜야만 구원받을 수 있다고 생각하는 사람들처럼 행동했어요. 하지만 바울은 오직 예수님을 통해서만 구원받는다고 말했어요. 우리는 예수님을 믿는 사람은 누구나 구원받는다는 이 기쁜 소식을 주변 사람에게 전해야 해요. **하나님은 우리가 하나님께 순종하도록 도와주세요.**

소곤소곤 꿀~꺽 간식

준비물 ▶ 채소칩(감자, 고구마 등), 접시

❶ 아이들에게 주변을 정리하게 하고, 화장실에 가거나 물티슈 등을 이용해 손을 씻을 시간을 준다.

❷ 감사 기도를 드리고 채소칩을 나누어 준다. 아이들이 간식을 먹는 동안 하나님만 사랑하고 하나님 말씀에만 순종하는 친구들이 되자고 이야기한다.

신나는 마무리

준비물 ▶ 영유아부 교재 3쪽 활동지, 25~28쪽 키 재기 연대표, 35쪽 메시지 카드, 42쪽 '이야기 성경' 스티커

❶ 활동지와 스티커, 키 재기 연대표, 메시지 카드를 나누어 주고 가족과 함께 오늘 배운 성경 이야기를 기억하라고 격려하며 가방을 정리해 준다.

가족과 활동해요

- '이야기 성경' 스티커를 붙이며 말씀을 기억해요.
- 온 가족이 요한복음 3장 16절을 함께 암송해 보세요. 모두 외우면 맛있는 과자를 먹으며 '과자 파티'를 해 보세요.
- 아이와 함께 예수님을 통해 우리를 구원해 주시는 하나님께 감사하는 마음을 온몸으로 표현해 보세요. 그 모습을 사진으로 찍어 남겨 보세요.

❷ 축복과 파송의 메시지를 담은 찬양을 부르며 인사한다.

❸ 아이를 데리러 온 보호자에게 아이가 특별히 즐거워했거나 잘했던 활동들에 대해 이야기해 주고, 가정에서 활동지와 스티커, 키 재기 연대표와 메시지 카드를 활용해 말씀을 들려주도록 격려한다.

- 활동지 : 가정에서 활동지에 '이야기 성경' 스티커를 붙이며 성경 말씀을 들려줄 수 있다. '이야기 성경' 스티커는 1~11과의 스티커를 한꺼번에 나누어 주거나, 매주 각 과의 스티커만 잘라서 나누어 주어도 된다.
- 키 재기 연대표 : 신약5~6권의 이야기 성경 그림을 한눈에 볼 수 있다. 말씀 안에서 지혜와 키가 자라 가도록 축복하며 나누어 준다.
- 메시지 카드 : 가정에서 단원 주제, 단원 암송, 각 과의 가스펠 포인트와 가족 활동 자료를 토대로 신앙 교육에 활용할 수 있다. 한 줄로 이어 붙이면 띠 벽지로 활용할 수 있다.

2
교회가 나뉘었어요

(고전 1:10~31)

가스펠 포인트

바울이 고린도 교회에 편지를 썼어요.
바울은 사람들에게 서로 사이좋게 지내라고 말했어요.
예수님은 우리가 하나님을 알도록 도와주세요.

단원 주제

하나님은 우리가 하나님께 순종하도록 도와주세요.

단원 암송

예수님을 믿는 믿음으로 살아요(갈 2:20).

본문 속으로

바울은 두 번째 전도 여행 중에 그리스 남부 지역인 고린도에 교회가 세워지도록 도왔습니다. 고린도는 교회가 필요한 곳이었습니다. 온갖 악행으로 유명한 도시였기 때문입니다. 바울은 18개월 동안 고린도에 머문 뒤, 다른 지역에 복음을 전하고 교회를 세우기 위해 다시 여행을 떠났습니다.

그로부터 6년 후 바울은 고린도에서 온 성도 글로에를 통해 교회가 어려움을 겪고 있다는 소식을 들었습니다. 교회는 분열되었고 여러 가지 죄의 문제에 빠져 있었습니다. 심지어 부활을 부정하는 사람도 있었습니다! 이런 소식을 들은 바울은 분명히 괴로웠을 것입니다. 그는 결국 고린도 교회에 편지를 쓰기 시작했습니다.

바울이 처음 다룬 문제는 교회의 분열이었습니다. 아무리 바울이 다른 여러 문제를 해결하도록 도와준다 해도 분열된 모습으로는 고린도라는 악한 도시에 선한 영향을 미치는 교회가 되지 못할 것이기 때문입니다. 글로에의 소식에 따르면 고린도 교회에 몇몇 분파가 생겼습니다. 어떤 사람들은 바울을 따른다고 주장했습니다. 어떤 사람들은 아볼로를, 또 다른 사람들은 베드로를 따른다고 주장했습니다. 심지어 어떤 이들은 예수님을 따른다고 주장하기도 했지만 겉으로만 그럴듯한 말이었습니다. 이 사람들은 그저 남들보다 조금이라도 더 영적으로 보이고 싶었을 뿐입니다.

바울은 고린도 교회의 성도들에게 분열되어서는 안 된다고 말했습니다. 바울은 그들이 예수님을 믿는 믿음으로 하나가 되어야 한다고 했습니다. 예수님은 여러 파의 예수님으로 나누어지지 않습니다. 우리를 위해 십자가에서 죽으신 분은 오직 예수님 한 분뿐이십니다. 바울의 메시지는 분명했습니다. 복음은 성도들을 분열시키는 것이 아니라, 하나가 되게 한다는 것입니다.

●● 티칭 포인트

아이들을 포함해 우리는 모두 편 가르기 전문가입니다. 죄와 이기심은 편을 가르지만, 예수님과 복음은 나뉜 것을 하나 되게 합니다. 하나님은 다양한 아름다움을 지닌 사람들이 진정으로 하나가 되는 것이 무엇인지 보여 주는 교회를 설계하셨습니다. 바울이 고린도 교회의 성도들에게 전했던 메시지가 여러분과 아이들의 마음속에 뿌리내리게 해 달라고 기도하십시오. 하나님이 우리가 만들어 낸 장벽을 허무시고, 아이들이 그리스도 안에서 형제자매로 하나 되게 해 주시길 기도하십시오.

이야기 성경

교회가 나뉘었어요

고전 1:10~31

바울은 고린도라는 도시에 교회를 세웠어요. 그는 그곳에서 1년 반을 머문 뒤 더 많은 사람에게 예수님을 전하기 위해 다른 지역으로 여행을 떠났어요.

몇 년이 지난 후 바울은 슬픈 소식을 들었어요. 고린도 교회가 어려움을 겪고 있다는 이야기였어요. 고린도 교회의 성도들은 서로 다투고, 여러 가지 다른 문제로 곤란에 빠졌어요. 그래서 바울은 그들에게 편지를 썼어요.

교회의 성도들은 한 팀처럼 하나가 되어야 하는데, 고린도 교회의 성도들은 서로 편이 나뉘어 있었어요. 어떤 복음전도자가 다른 복음전도자보다 더 낫다고 생각했지요. 어떤 사람들은 "우리는 바울 편이야"라고 말했고, 어떤 사람들은 "우리는 아볼로 편이야"라고 했어요. 또 어떤 사람들은 "우리는 베드로 편이야"라고 했고, 심지어 "우리는 예수님 편이야"라고 말하는 사람들도 있었어요. 바울은 그리스도인들은 서로 편을 가르면 안 된다고 말했어요.

바울은 이렇게 말했어요. "누가 여러분을 위해 십자가에서 죽으셨습니까? 바울입니까? 아볼로입니까? 베드로입니까? 아닙니다. 예수님이십니다! 예수님이 여러분을 위해 십자가에서 죽으셨습니다." 그리스도인들은 모두 예수님을 주님으로 믿는 사람들이에요. 그래서 바울은 우리가 서로 사이좋게 지내고 서로를 사랑해야 한다고 말했어요.

바울은 예수님을 믿지 않는 사람은 예수님에 대한 기쁜 소식인 복음을 어리석게 생각한다고 말했어요. "여러분, 생각해 보십시오. 하나님이 여러분을 하나님의 가족으로 선택하신 이유는 여러분이 아는 것이 많아서가 아닙니다. 여러분의 집안에 대단한 사람이 있어서도 아닙니다."

하나님은 예수님을 믿고 의지하는 사람을 구원하세요. 구원은 우리의 노력으로 얻거나 일어날 수 있는 일이 아니에요. 따라서 아무도 구원받은 것을 자랑할 수 없어요. 우리는 오직 예수님과 예수님이 하신 일만 자랑해야 해요.

● ● 예수님 생각하기

바울은 고린도 교회의 성도들에게 서로 사이좋게 지내라고 말했어요. 그리고 죄인을 구원하시는 분은 예수님이라는 사실을 다시 강조했지요. 예수님을 믿는 그리스도인들은 한 가족처럼 사이좋게 지낼 수 있어요.

가스펠 준비

싱글벙글 환영해요

USB

"주의 교회"(지도자용 팩)을 튼다. 아이들을 반갑게 맞이하며 헌금과 기도를 도와준다. 예배 중에 헌금 순서가 있다면 헌금을 잘 간수하도록 돕는다. 가방과 옷을 정리하도록 안내한다. 새로 온 아이에게는 음수대와 화장실의 위치를 알려 주고, 보호자와 만나는 시간과 방법 등을 소개한다. 보호자를 위한 안내문을 붙여 끝나는 시간, 기다리는 장소, 헌금 방법, 아이에 대한 특별한 주의 사항을 교사에게 미리 알려 달라는 당부 등을 공지한다.

너랑 나랑 마음 열기

아이들이 편안하고 친숙하게 하나님께 마음을 열고, 하나님을 알아 가도록 돕는 놀이 환경을 제공한다. 흥미를 유발할 수 있는 놀잇감으로 자유 놀이 영역을 구성한다. 단원별 공통 활동에 각 과의 주제와 연결된 활동 영역을 추가하여 아이들이 자유롭게 선택하게 한다. 충분히 활동할 수 있도록 20분 정도 할애하는 것이 좋다.

반쪽 교회 맞추기

USB

준비물 ▶ '반쪽 교회'(지도자용 팩), 색연필

❶ '반쪽 교회'(지도자용 팩)를 인원수대로 프린트해 둔다.

❷ 아이들에게 그림과 색연필을 나누어 주고, 나머지 반쪽을 찾아 선으로 연결해 보라고 한다.

인도자 고린도 교회 사람들은 서로 편을 나누었어요.

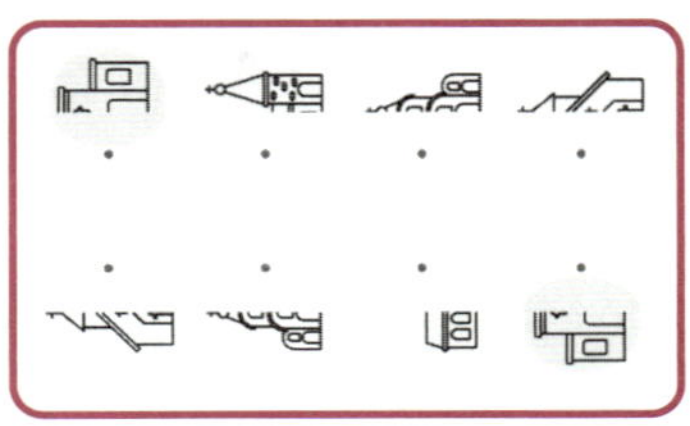

바울은 고린도 교회에 편지를 보냈대요. 편지에는 어떤 내용이 적혀 있었을까요? 성경 이야기를 들으며 함께 알아보아요.

소리 듣기

준비물 ▶ 손으로 부러뜨릴 수 있는 다양한 재료(우드락 조각, 수수깡, 종이, 원형 뻥튀기 등)

❶ 아이들에게 준비한 재료들을 보여 주고, 각 재료를 손으로 부러뜨리거나 찢을 때 나는 소리를 들어 보게 한다.

❷ 아이들이 들리는 소리를 말로 표현해 보도록 지도한다.

예) "수수깡이 부러질 때 '똑' 하는 소리가 났군요!", "뻥튀기가 부러질 때는 어떤 소리가 났나요?" 등.

인도자 물건들을 반으로 나눌 때마다 모두 다른 소리가 났어요! 오늘 성경 이야기에서 무언가가 하나가 되지 못하고 나누어지는 일이 일어났대요. 무엇이 나누어졌을까요? 함께 성경 이야기를 들어 보아요.

색깔 점토 나누기

준비물 ▶ 색깔 점토, 밀대, 플라스틱 칼

❶ 아이들에게 준비물을 나누어 주고, 점토를 밀대로 민 후 칼로 자르게 한다.

❷ 다 자르고 나면 다시 한 덩어리로 뭉쳐 보게 한다.

❸ 인도자는 아이들의 점토를 모두 모아 한 덩어리로 뭉친다.

인도자 점토 놀이가 재미있었나요? 여러분에게 나누어 준 점토를 모두 뭉치니 한 덩어리가 됐어요. 오늘 성경 이야기에서는 하나로 뭉치지 못한 고린도 교회 사람들의 이야기가 나온대요. 왜 그랬을까요? 함께 들어 보아요.

가스펠 설교 대형으로 모이기

- 카운트다운 영상, 모이기 노래 등을 활용해 설교 대형으로 바꾸고 마음을 준비하게 한다.

가스펠 설교

하나 — 성경 이야기

tip

- 인형 활용하기 : 인형 2개를 활용해 서로 인도자와 다른 교사의 편이라고 싸우는 연극을 한다. 인도자는 고린도 교회 사람들도 이처럼 싸웠다고 이야기하고, 바울이 그들에게 뭐라고 했는지 들어 보자고 하면서 성경 이야기를 들려준다.

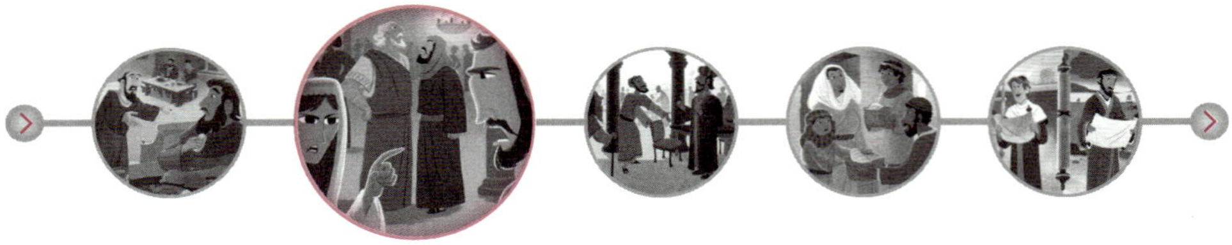

USB

아이들에게 성경을 나눠 주고 펼치게 한다. 제목을 말하고, 성경 본문의 핵심 부분을 읽어 준다. 말씀 듣기 시간을 알려 주는 찬양을 부른 후 성경 이야기를 읽어 주거나 설교 영상(지도자용 팩)을 보여 준다.

바울은 고린도 교회 사람들에게 편지를 보냈어요. 고린도에 있는 그리스도인들은 서로 사이가 안 좋았어요. 어떤 사람은 "나는 바울 편이다!"라고 말하고, 어떤 사람은 "나는 아볼로 편이다!"라고 했어요. 또 어떤 사람은 베드로 편이라고 했어요. 그들은 어떤 한 사람이 다른 사람보다 낫다고 생각했어요. 이 소식을 들은 바울이 편지를 썼어요. "여러분을 위해 십자가에서 죽고 다시 살아나신 분은 내가 아니라 예수님이십니다! 우리는 모두 예수님 편입니다! 우리가 하나님의 사랑과 계획을 알도록 도와주시는 분은 바로 예수님입니다. 그러니 우리는 스스로 얼마나 똑똑한지 자랑해서는 안 됩니다. 예수님이 우리를 이토록 사랑하시는 것을 기뻐해야 합니다!"

둘 — 가스펠 포인트

바울이 고린도 교회에 편지를 썼어요.
바울은 사람들에게 서로 사이좋게 지내라고 말했어요.
예수님은 우리가 하나님을 알도록 도와주세요.

"나처럼 해 봐요" 곡에 맞춰 다음 가사로 노래를 부르며 메시지를 정리한다.

♪

하나님 우리를 도와요
순종 – 하도록 도와요
사랑 – 하도록 도와요
아이참 기쁘구나.

예수님은 우리가 하나님을 알도록 도와주세요. 하나님을 더 많이 알수록 우리는 하나님을 더 사랑하게 돼요. **하나님은 우리가 하나님께 순종하도록 도와주세요.**

셋 — 복음 초청

성경과 복음 초청 가이드(65쪽)를 이용해서 아이들에게 그리스도를 소개한다.

예수님을 믿고 싶은 친구는 함께 기도해요.

넷 — 기도

하나님, 우리를 사랑해 주셔서 감사해요. 예수님 안에서 친구들과 사이좋게 지낼 수 있도록 도와주세요. 예수님 이름으로 기도합니다. 아멘.

다섯 — 암송송

1단원 암송송(134쪽)을 손유희와 함께 부르거나, 일부 구절 또는 간단하게 줄인 문장을 활용할 수 있다.

"내가 그리스도와 함께 십자가에 못 박혔나니 그런즉 이제는 내가 사는 것이 아니요 오직 내 안에 그리스도께서 사시는 것이라 이제 내가 육체 가운데 사는 것은 나를 사랑하사 나를 위하여 자기 자신을 버리신 하나님의 아들을 믿는 믿음 안에서 사는 것이라"(갈 2:20).

"예수님을 믿는 믿음으로 살아요."

가스펠 활동

알콩달콩 소그룹

우리는 모두 예수님 편이에요

준비물 ▶ 영유아부 교재 6쪽, 29쪽 '네 편 내 편' 그림, 41쪽 '십자가' 스티커, 풀

❶ 영유아부 교재 6쪽에 서로 편을 나누고 사이가 좋지 않은 그리스도인들이 있다고 알려 주고, 영유아부 교재 29쪽 '네 편 내 편' 그림을 6쪽의 표시된 곳에 붙이게 한다.

❷ '네 편 내 편' 그림을 넘겨 보며 예수님을 믿는 사람은 모두 한 편이라고 말해 주고, 41쪽 '십자가' 스티커를 각 사람 가슴에 붙여 주고, 모두가 예수님의 편임을 알려 준다.

인도자 고린도 교회 사람들은 서로 편을 나누었어요. 바울은 고린도 교회에 편지를 보내 그리스도인들은 모두 하나님의 사랑과 계획을 알려 주신 예수님 편이라고 말해 주었어요. 우리도 모두 예수님 편이에요. 그래서 우리는 하나님이 예수님을 보내 주시고 또 예수님이 우리를 위해 십자가에서 죽었다가 다시 살아나셨다는 소식을 함께 기뻐해요. **하나님은 우리가 하나님께 순종하도록 도와주세요.**

십자가를 채워요

준비물 ▶ A3 용지, 매직, 다양한 종류의 과자, 큰 그릇

❶ A3 용지에 매직으로 십자가 테두리를 그려 둔다.

❷ 아이들에게 다양한 종류의 과자를 보여 주며, 같은 과자를 좋아하는 아이들끼리 모이게 한다.

❸ 좋아하는 과자 종류에 따라 편이 나뉘었지만 우리는 모두 우리를 위해 십자가에서 죽었다가 다시 살아나신 예수님을 믿는 같은 편이라고 말해 주고, 과자를 전부 큰 그릇에 섞는다.

❹ 십자가 테두리가 그려진 종이를 펼쳐 놓고, 아이들이 함께 다양한 과자로 십자가를 채우게 한다.

인도자 좋아하는 과자가 섞여 멋진 과자 십자가가 완성됐어요! 고린도 교회 사람들은 하나가 되어야 했지만 여러 편으로 나누어졌어요. 바울은 모든 그리스도인은 우리를 사랑하시는 하나님이 보내신 예수님을 믿는 같은 편이라고 말했어요. **하나님은 우리가 하나님께 순종하도록 도와주세요.**

영차, 영차 — 대그룹

사이좋게 영차, 영차!

준비물 ▶ 풍선 2개, 보자기 2장, 마스킹 테이프, 과자

❶ 예배실 바닥에 마스킹 테이프로 출발선과 반환점을 표시하 둔다. 출발선에 코자기와 풍선을 놓아 둔다.

❷ 아이들을 두 팀으로 나누고, 같은 팀끼리 4인 1조가 되게 한다.

❸ 인도자가 출발 신호를 하면, 각 팀에서 한 조씩 나와 보자기 의 모서리를 각각 잡고 그 위에 풍선을 올린 후 풍선을 떨어뜨리지 않고 반환점까지 갔다가 돌아오게 한다.

❹ 돌아온 아이들에게 과자를 나누어 주고, 서로 "잘했어!"라고 격려하며 먹여 주게 한다.

인도자 서로 한마음으로 잘했어요. 예수님을 믿는 사람은 모두 하나님의 사랑과 계획을 알게 해 주신 예수님 편이에요. 바울은 고린도 교회 사람들에게 모두가 예수님 편인 것을 알고 사이좋게 지내라고 편지를 보냈어요. **하나님은 우리가 하나님께 순종하도록 도와주세요.**

소곤소곤 꿀~꺽 간식

준비물 ▶ 샌드위치, 우유, 접시, 컵

❶ 아이들에게 주변을 정리하게 하고, 화장실에 가거나 물티슈 등을 이용해 손을 씻을 시간을 준다.

❷ 감사 기도를 드리고 샌드위치와 우유를 간식으로 나누어 준다. 여러 가지 재료가 잘 어우러진 샌드위치처럼 우리도 예수님 안에서 하나가 되어 사이좋게 지내야 한다고 말해 준다.

신나는 마무리

준비물 ▶ 영유아부 교재 5쪽 활동지, 35쪽 메시지 카드, 42쪽 '이야기 성경' 스티커

❶ 활동지와 스티커, 메시지 카드를 나누어 주고 가족과 함께 오늘 배운 성경 이야기를 기억하라고 격려하며 가방을 정리해 준다.

가족과 활동해요

- '이야기 성경' 스티커를 붙이며 말씀을 기억해요.
- 가족이 함께 2인 3각 달리기를 해 보세요. 목표 지점에 도착하면 함께 "예수님 안에서 우리는 한 팀이에요!"라고 외치세요.
- 서로 좋아하는 음식, 색, 계절, 날씨 등을 이야기해 보세요. 좋아하는 것은 각각 다르지만 모두 예수님 사랑 안에서 하나임을 기억하며 함께 찬양해요.

❷ 축복과 파송의 메시지를 담은 찬양을 부르며 인사한다.

❸ 아이를 데리러 온 보호자에게 아이가 특별히 즐거워했거나 잘했던 활동들에 대해 이야기해 주고, 가정에서 활동지와 스티커, 메시지 카드를 활용해 말씀을 들려주도록 격려한다.

3

교회 안에 차별이 생겼어요

(약 2:1~13)

가스펠 포인트

야고보가 그리스도인들에게 편지를 썼어요.
야고보는 모든 사람에게 친절하게 대하라고 말했어요.
예수님이 우리를 사랑하시기 때문에 우리도 다른 사람을 사랑해요.

단원 주제

하나님은 우리가 하나님께 순종하도록 도와주세요.

단원 암송

예수님을 믿는 믿음으로 살아요(갈 2:20).

본문 속으로

예수님이 이 땅에서 사역하실 때, 많은 유대인이 예수님은 그리스도이시며 하나님의 아들이라는 사실을 믿지 않았습니다. 예수님의 형제 야고보도 그중 하나였습니다. 그러나 십자가에 못 박히고 부활하신 예수님은 야고보에게 나타나셨습니다. 마침내 야고보도 예수님이 하나님의 아들이시라는 사실을 믿게 되었습니다. 훗날 야고보는 예루살렘 교회의 지도자가 되어 초대교회에서 중요한 역할을 감당했습니다.

초대교회의 성도는 유대인이 대부분이었습니다. 이는 교회가 이스라엘에 있었다는 점에서 당연해 보이기도 합니다. 또한 유대에서 시작해 온 세상으로 퍼져 나가라고 하신 사명의 배경이기도 합니다. 야고보는 여러 지역에 흩어진 유대인 성도들에게 편지를 썼습니다. 그는 유대인들이 예수님을 믿는 믿음 안에서 어떻게 살아야 하는지 이해할 수 있도록 도와주었습니다.

야고보는 복음대로 사는 한 가지 방법은 사람을 차별하지 않는 것이라고 말했습니다. 그는 부유한 사람과 가난한 사람을 차별하는 교회의 모습을 예로 들어 설명했습니다. 부유한 사람을 더 잘 대하는 것이 사람들의 자연스러운 반응입니다. 그러나 야고보는 하나님은 차별하는 분이 아니시라고 말했습니다. 하나님은 부유하든 가난하든 모든 사람을 똑같이 대하십니다. 복음으로 너그럽게 대하십니다. 이와 같이 하나님의 긍휼을 경험한 우리도 모든 사람을 사랑과 너그러움으로 평등하게 대하는 것이 마땅합니다.

●● 티칭 포인트

이번 과는 지난 과의 내용과 이어집니다. 아마 몇몇 아이들은 하나가 된다는 것을 그저 다른 사람과 잘 지내고 다투지 않는 정도로만 생각할 것입니다. 그러나 하나가 된다는 것은 차별하지 않는 것을 말합니다. 차별하지 않을 때 다른 사람들과 더 깊은 관계를 맺을 수 있습니다. 하나님은 우리가 사람들과 더 깊은 관계를 맺으며 하나 되기를 바라십니다. 복음을 믿는 사람이라면 예수님이 우리에게 보여 주신 것과 같은 사랑과 긍휼과 은혜로 서로를 대해야 한다는 사실을 아이들에게 알려 주십시오.

이야기 성경

교회 안에 차별이 생겼어요

약 2:1~13

초대교회에는 지도자가 많았어요. 야고보도 지도자 중 한 사람이었어요. 그는 예수님의 형제였어요. 마리아와 요셉의 아들이었지요. 야고보는 예루살렘 교회의 지도자였어요.

야고보는 다른 지역의 그리스도인들에게 편지를 썼어요. 그리스도인이 어떻게 살아야 하는지를 알려 주었지요. 예수님을 믿고 의지하는 사람은 예수님을 믿지 않는 사람과 달라야 해요. 예수님을 믿고 의지하기 때문에 착하고 옳은 행동을 해야 해요.

야고보는 "예수님을 믿고 의지하는 사람은 차별하지 않아야 합니다"라고 말했어요. 차별하지 않는다는 것은 모든 사람을 똑같이 대한다는 뜻이에요. 다른 사람보다 더 중요하거나 덜 중요한 사람은 없기 때문이에요.

야고보는 이렇게 말했어요. "어떤 돈 많은 사람이 화려한 옷을 차려입고 교회에 왔다고 해서 그 사람을 다른 사람보다 더 잘 대하지 마십시오. 부자에게는 앉을 곳을 내주면서 가난한 사람에게는 '저쪽에 서 있으시오'라고 하거나 '바닥에 앉으시오'라고 말한다면, 이것이 옳은 행동입니까? 그렇게 한다면 여러분은 가난한 사람을 차별한 것입니다."

하나님은 차별하시는 분이 아니에요. 하나님은 부자를 가난한 사람보다 더 잘 대하시지도 않고, 가난한 사람을 부자보다 더 잘 대하시지도 않아요. 하나님은 하나님을 사랑하는 모든 사람을 위한 자리를 하늘나라에 준비해 두셨어요.

하나님은 "네 이웃을 네 몸과 같이 사랑하라"라고 말씀하셨어요. 우리가 어떤 사람에게는 친절하면서 다른 사람에게는 친절하지 않다면 그것은 하나님께 순종하지 않는 거예요.

야고보는 대접을 받을 자격이 없어 보이는 사람도 긍휼히 여기고 친절하게 대해야 한다고 말했어요. 우리도 대접을 받을 자격이 없었는데 하나님이 긍휼을 베풀어 주셨으니까요. 우리는 죄인이었지만 하나님은 우리를 구원하려고 예수님을 보내셨어요.

●● 예수님 생각하기

야고보는 사람들을 차별하는 것은 잘못이라고 말했어요. 예수님은 예수님을 따르는 사람들에게 서로 사랑하라고 말씀하셨어요. 예수님이 우리를 긍휼히 여기시듯이 우리도 다른 사람을 긍휼히 여기고 친절하게 대해야 해요.

가스펠 준비

싱글벙글 — 환영해요

USB

"주의 교회"(지도자용 팩)을 튼다. 아이들을 반갑게 맞이하며 헌금과 기도를 도와준다. 예배 중에 헌금 순서가 있다면 헌금을 잘 간수하도록 돕는다. 가방과 옷을 정리하도록 안내한다. 새로 온 아이에게는 음수대와 화장실의 위치를 알려 주고, 보호자와 만나는 시간과 방법 등을 소개한다. 보호자를 위한 안내문을 붙여 끝나는 시간, 기다리는 장소, 헌금 방법, 아이에 대한 특별한 주의 사항을 교사에게 미리 알려 달라는 당부 등을 공지한다.

너랑 나랑 — 마음 열기

아이들이 편안하고 친숙하게 하나님께 마음을 열고, 하나님을 알아 가도록 돕는 놀이 환경을 제공한다. 흥미를 유발할 수 있는 놀잇감으로 자유 놀이 영역을 구성한다. 단원별 공통 활동에 각 과의 주제와 연결된 활동 영역을 추가하여 아이들이 자유롭게 선택하게 한다. 충분히 활동할 수 있도록 20분 정도 할애하는 것이 좋다.

자유 놀이 구성

- 십자가 표현하기
- 교회 만들기
- 십자가 솜 물들이기
- 음식 대접하기
- 예수님에 관한 찬양 부르기
- >편지 쓰기 >예수님 이름 부르기
- 노래에 맞춰 율동하기
- 똑같이 말하기

음식 대접하기

준비물 ▶ 소꿉놀이 장난감, 탁자

❶ 소꿉놀이 장난감을 이용해 여러 사람에게 음식을 대접해 보라고 한다. 아이들이 서로 번갈아 대접하는 사람과 대접을 받는 사람이 되어 보게 한다.

인도자 친구들에게 맛있는 음식을 대접했군요. 대접한 친구들이나 대접을 받은 친구들의 마음이 정말 기뻤을 거예요. 오늘 성경 이야기에서 야고보는 하나님과 사람들을 기쁘게 하려면 어떤 마음을 가져야 하는지 알려 준답니다. 함께 들어 보아요.

노래에 맞춰 율동하기

준비물 ▶ "아름다운 마음들이 모여서" 찬양 음원, 음원 재생 기기

❶ "아름다운 마음들이 모여서" 찬양을 틀고 아이들과 함께 율동하며 노래한다

인도자 하나님이 가르쳐 준 한 가지! 내 이웃을 내 몸과 같이 사랑해요! 오늘 성경 이야기에는 어떤 마음으로 이웃을 사랑해야 하는지 나온대요. 함께 성경 이야기를 잘 들어 보아요!

똑같이 말하기

준비물 ▶ 그림 카드(구름, 나무, 신발, 십자가 등)

❶ 아이들이 쉽게 알아볼 수 있는 그림 카드를 준비한다.

❷ 아이들에게 카드를 보여 주고, 인도자가 "하나, 둘, 셋"을 외치면 카드 속 그림이 무엇인지 함께 말하게 한다.

인도자 그림을 보고 동시에 말해 보니 어떤가요? 똑같은 순간에 말하기가 쉽지 않았죠? 오늘 성경 이야기에 나오는 야고보는 예수님을 믿는 사람은 모든 사람을 똑같이 대해야 한다고 편지에 썼대요. 왜 그래야 할까요? 함께 성경 이야기를 들어 보아요.

가스펠 설교 대형으로 모이기

• 카운트다운 영상, 모이기 노래 등을 활용해 설교 대형으로 바꾸고 마음을 준비하게 한다.

가스펠 설교

하나 — 성경 이야기

tip

- 드라마 설교하기 : 교사들이 부자 그리스도인과 가난한 그리스도인 역할을 맡아 교회에서 차별받는 모습을 연기한다.

USB

아이들에게 성경을 나눠 주고 펼치게 한다. 제목을 말하고, 성경 본문의 핵심 부분을 읽어 준다. 말씀 듣기 시간을 알려 주는 찬양을 부른 후 성경 이야기를 읽어 주거나 설교 영상(지도자용 팩)을 보여 준다.

야고보는 교회의 선생님이자 예수님을 따르는 사람이었어요. 야고보는 그리스도인들에게 편지를 썼어요. "돈이 많은 사람이 화려한 옷을 입고 교회에 들어온다고 다른 사람보다 더 잘 대접하지 마십시오. 그에게 가장 좋은 자리를 주고 가난한 사람에게는 바닥에 앉으라고 말하면 안 됩니다! 하나님은 다른 사람을 사랑하라고 하셨습니다. 어떤 사람은 친절하게 대하고, 어떤 사람은 함부로 대하는 것은 하나님께 순종하지 않는 것입니다. 하나님은 여러분을 사랑하셔서 여러분을 구하시려고 예수님을 이 땅에 보내셨습니다. 그러니 여러분도 다른 사람을 사랑하십시오."

둘 — 가스펠 포인트

야고보가 그리스도인들에게 편지를 썼어요.
야고보는 모든 사람에게 친절하게 대하라고 말했어요.
예수님이 우리를 사랑하시기 때문에 우리도 다른 사람을 사랑해요.

"나처럼 해 봐요" 곡에 맞춰 다음 가사로 노래를 부르며 메시지를 정리한다.

> 하나님 우리를 도와요
> 순종 – 하도록 도와요
> 사랑 – 하도록 도와요
> 아이참 기쁘구나.

우리가 예수님을 사랑할 때, **하나님은 우리가 하나님께 순종하도록 도우세요.** 예수님이 우리를 사랑하시기 때문에 우리도 다른 사람을 사랑하고 친절하게 대할 수 있어요.

셋 — 복음 초청

성경과 복음 초청 가이드(65쪽)를 이용해서 아이들에게 그리스도를 소개한다.

예수님을 믿고 싶은 친구는 함께 기도해요.

넷 — 기도

하나님, 예수님이 우리를 사랑하신 것처럼 우리도 다른 사람을 사랑하는 마음을 가지도록 도와주세요. 예수님 이름으로 기도합니다. 아멘.

다섯 — 암송송

1단원 암송송(134쪽)을 손유희와 함께 부르거나, 일부 구절 또는 간단하게 줄인 문장을 활용할 수 있다.

"내가 그리스도와 함께 십자가에 못 박혔나니 그런즉 이제는 내가 사는 것이 아니요 오직 내 안에 그리스도께서 사시는 것이라 이제 내가 육체 가운데 사는 것은 나를 사랑하사 나를 위하여 자기 자신을 버리신 하나님의 아들을 믿는 믿음 안에서 사는 것이라"(갈 2:20).

"예수님을 믿는 믿음으로 살아요."

가스펠 활동

알콩달콩 — **소그룹**

사랑의 돋보기로 바라봐요

준비물 ▶ 영유아부 교재 8쪽, 31쪽 '사랑의 돋보기' 도안, 빨간색 셀로판지, 가위, 풀

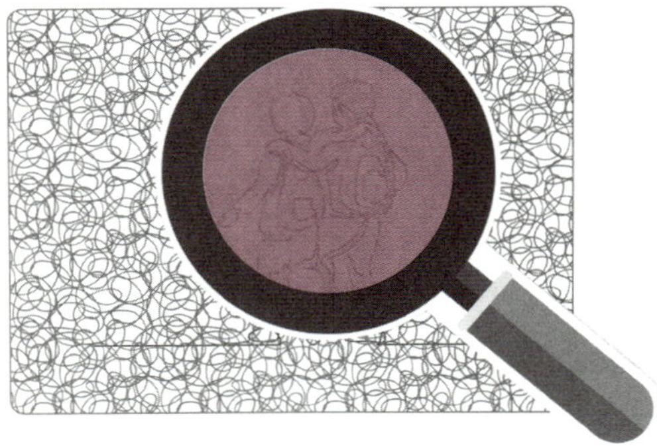

❶ 영유아부 교재 31쪽 '사랑의 돋보기' 도안을 떼어 낸다.

❷ 돋보기의 렌즈 크기로 빨간색 셀로판지를 잘라 나누어 주고, '사랑의 돋보기' 뒷면에 붙이게 한다.

❸ 아이들에게 '사랑의 돋보기'를 그림 위에 올려 무엇이 보이는지 살펴보라고 한다.

❹ 예수님처럼 사랑의 눈으로 모든 사람을 똑같이 바라보고 똑같이 사랑하자고 이야기한다.

인도자 '사랑의 돋보기'로 보니 보이지 않던 그림이 보였지요? 야고보는 이웃을 사랑하라는 하나님의 말씀은 모든 이웃을 똑같이 사랑하는 것이라고 말했어요. 예수님이 우리를 사랑하시기 때문에 우리도 이웃을 똑같이 사랑할 수 있어요. **하나님은 우리가 하나님께 순종하도록 도와주세요.**

옷을 꾸며요

USB

준비물 ▶ '부자와 가난한 사람'(지도자용 팩), 하트 스티커

❶ '부자와 가난한 사람'(지도자용 팩)을 인원수대로 프린트해 둔다.

❷ 아이들에게 하트 스티커를 주고, 부자와 가난한 사람의 옷에 붙여 꾸미게 한다.

인도자 부자와 가난한 사람의 모습을 잘 꾸몄나요? 부자도 가난한 사람도 모두 사랑해야 하는 사람이에요. 어떤 사람에게는 친절하게 대하고, 어떤 사람에게는 함부로 대하는 것은 하나님이 원하시는 행동이 아니에요. 하나님은 우

리가 하나님이 주신 사랑의 눈으로 이웃을 바라보길 바라세요. 모든 사람을 사랑으로 친절하게 대하는 것은 하나님께 순종하는 일이랍니다. **하나님은 우리가 하나님께 순종하도록 도와주세요.**

하트 식빵을 만들어요

준비물 ▶ 하트 모양 틀, 식빵, 과일 잼, 버터나이프, 접시, 물티슈

❶ 아이들 손을 물티슈로 닦게 한다.

❷ 접시에 식빵을 담아 나누어 주고, 하트 모양 틀로 찍어 하트 모양 식빵을 만들게 한다.

❸ 하트 모양 식빵에 과일 잼을 발라 먹게 한다.

인도자 예쁜 하트 모양 식빵을 잘 만들었어요. 야고보는 모든 사람을 똑같이 친절하게 대하며 이웃을 사랑하라고 말했어요. 왜냐하면 우리는 모두 똑같이 예수님의 사랑을 받았기 때문이에요. **하나님은 우리가 하나님께 순종하도록 도와주세요.**

영차, 영차 **대그룹**

친구를 찾아라!

준비물 ▶ 찬양 음원, 음원 재생 기기

❶ 아이들이 찬양을 따라 부르며 자유롭게 움직이게 한다. 인도자가 찬양을 멈추고 한 아이의 생김새와 특징을 설명한다.

예) "머리에 핀을 꽂았어요", "흰색 양말을 신었어요", "줄무늬 옷을 입고 있어요" 등.

❷ 아이들에게 인도자가 설명한 특징을 가진 아이에게 다가가 "예수님의 사랑으로 사랑해!"라고 말하며 손뼉을 치게 한다.

❸ 모든 아이가 "예수님의 사랑으로 사랑해!"라는 말을 들을 수 있도록 특징을 골고루 제시한다.

인도자 친구를 잘 찾았어요. 우리는 서로 모습이 다르지만 모두 똑같이 예수님이 사랑하시는 사람들이에요. 야고보는 예수님이 우리를 똑같이 사랑하시기 때문에 우리도 하나님 말씀에 순종해 모든 사람을 친절하게 대할 수 있다고 알려 주었어요. **하나님은 우리가 하나님께 순종하도록 도와주세요.**

소곤소곤 꿀~꺽 간식

준비물 ▶ 통밀 크래커, 프레첼 과자, 초콜릿 칩, 접시

❶ 아이들에게 주변을 정리하게 하고, 화장실에 가거나 물티슈 등을 이용해 손을 씻을 시간을 준다.

❷ 감사 기도를 드리고 통밀 크래커, 프레첼 과자, 초콜릿 칩을 간식으로 나누어 준다. 간식을 공평하게 나누어 준 것처럼 우리 모두 서로를 똑같이 잘 대해 줘야 한다고 말해 준다.

tip '알콩달콩 소그룹 - 하트 식빵을 만들어요'에서 만든 하트 식빵을 먹어도 좋다.

신나는 마무리

준비물 ▶ 영유아부 교재 7쪽 활동지, 35쪽 메시지 카드, 42쪽 '이야기 성경' 스티커

❶ 활동지와 스티커, 메시지 카드를 나누어 주고 가족과 함께 오늘 배운 성경 이야기를 기억하라고 격려하며 가방을 정리해 준다.

가족과 활동해요

- '이야기 성경' 스티커를 붙이며 말씀을 기억해요.
- '미운 오리 새끼'처럼 차별에 관해 이야기하는 동화를 아이들에게 들려주세요. 차별당하는 사람의 마음은 어떨지 이야기를 나누어 보세요.

❷ 축복과 파송의 메시지를 담은 찬양을 부르며 인사한다.

❸ 아이를 데리러 온 보호자에게 아이가 특별히 즐거워했거나 잘했던 활동들에 대해 이야기해 주고, 가정에서 활동지와 스티커, 메시지 카드를 활용해 말씀을 들려주도록 격려한다.

4 서로 사랑하라

(요일 3:10~18)

가스펠 포인트

요한이 교회에 편지를 썼어요.
요한은 예수님을 따르는 사람은 사람들에게 사랑을 보여 줘야 한다
고 말했어요.
예수님이 우리를 사랑하시기 때문에 우리도 다른 사람을 사랑해요.

단원 주제

하나님은 우리가 하나님께 순종하도록
도와주세요.

단원 암송

예수님을 믿는 믿음으로 살아요(갈 2:20).

본문 속으로

사도 요한은 예수님과 아주 가까운 제자였습니다. 베드로, 야고보와 함께 언제나 예수님의 곁에 있었습니다. 요한은 심지어 요한복음에서 자신을 "예수님이 사랑하시는 자"라고 표현했습니다. 그렇기에 예수님이 승천하신 지 50년이 지난 후 요한이 성도들에게 예수님이 어떤 분이신지에 관해 편지를 쓴 것은 당연한 일입니다. 요한의 메시지에는 하나의 핵심 주제가 있습니다. 바로 '사랑'입니다.

요한은 하나님은 사랑이시며, 성도들이 정말로 하나님을 사랑한다면 서로 사랑하게 된다고 했습니다. 서로를 향한 사랑은 예수님이 우리를 위해 하신 것처럼 상대방을 위해 기꺼이 목숨을 내어줄 수 있을 만큼 깊고 진실해야 합니다. 이렇게 깊고 진실한 사랑을 통해 세상은 복음의 참모습을 알게 됩니다.

오늘날 사랑에 관한 이야기 가운데 많은 것들이 사랑의 진정한 의미를 왜곡합니다. 이러한 문화적 분위기 속에서 아이들은 어떤 식으로든 영향을 받습니다. 아마도 아이들은 사랑을 일시적인 것, 또는 노력으로 얻어야 하는 것쯤으로 생각하고 있을지도 모릅니다.

●● 티칭 포인트

이번 과는 아이들에게 세상이 말하는 사랑에 관한 거짓된 통념을 들추어내는 동시에 진실한 하나님의 사랑을 가르쳐 줄 좋은 기회가 될 것입니다. 아이들이 처한 상황을 신중하게 다루십시오. 많은 아이가 사랑받지 못한다고 느낄 수도 있습니다. 사랑하는 사람에게 상처를 받았을지도 모릅니다. 다른 사람의 사랑을 얻으려고 노력하는 중일 수도 있습니다. 이런 상황에 대처할 수 있도록 준비하십시오.

아이들을 향한 예수님의 사랑은 무조건적이고 영원하다는 점을 강조하십시오. 예수님의 사랑은 단순한 감정이 아닙니다. 예수님은 우리를 죄에서 구원하기 위해 십자가에서 죽으심으로써 우리를 향한 하나님의 사랑을 증명하셨습니다. 하나님이 우리를 먼저 사랑하셨기 때문에 우리도 다른 사람을 사랑할 수 있습니다.

이야기 성경

서로 사랑하라

요일 3:10~18

예수님의 제자 사도 요한은 예수님과 아주 가까웠어요. 예수님의 삶과 가르침을 직접 경험했지요. 그는 예수님이 가르치시는 모습을 보았고, 하늘로 올라가시는 것도 보았어요.

오랜 시간이 지나 요한은 이제 노인이 되었어요. 요한은 사람들이 예수님에 대해 알기를 바랐어요. 그래서 편지를 써서 그리스도인들이 예수님이 하나님의 아들이시라는 사실을 잘 알도록 도왔지요.

요한은 사랑에 대해 썼어요. 그는 하나님이 사랑이시라고 말했어요. 요한은 "하나님을 진심으로 사랑하는 그리스도인은 다른 사람도 사랑할 것입니다"라고 말했어요. 우리는 우리의 말과 행동으로 사랑을 표현할 수 있어요.

또한 요한은 하나님의 자녀는 하나님의 자녀가 아닌 사람과는 다른 모습으로 살아간다고 말했어요. 예수님을 사랑하고 믿는 사람은 옳은 일을 해야 해요. 또 서로 사랑해야 해요. 요한은 우리가 서로 사랑하는 모습을 보고 사람들이 우리가 그리스도인인 줄 알 것이라고 했어요.

요한이 쓴 편지에는 이렇게 쓰여 있어요. "예수님을 사랑하지 않는 사람이 여러분을 사랑하지 않더라도 놀라지 마십시오. 하나님은 우리를 사랑하셔서 우리에게 생명을 주셨습니다. 그래서 우리도 서로 사랑할 수 있게 되었습니다. 예수님은 우리에게 사랑이 무엇인지 보여 주셨습니다. 우리를 위해 자기 목숨을 버리셨지요. 우리도 그렇게 사랑해야 합니다! 다른 사람에게 필요한 것이 우리에게 있다면 그것을 나눠 줄 수 있어야 합니다."

그런 다음 요한은 "여러분, 그냥 말로만 사랑해서는 안 됩니다. 행동으로 사랑을 표현해야 합니다"라고 말했어요.

●● 예수님 생각하기

요한은 사랑을 표현하는 것에 관해 편지를 썼어요. 사랑은 감정이나 말에 그치지 않아요. 사랑은 행동으로 드러나요. 예수님은 우리를 죄에서 구원하기 위해 십자가에서 죽으심으로 우리를 향한 하나님의 사랑을 보여 주셨어요.

가스펠 준비

싱글벙글 — 환영해요

USB

"주의 교회"(지도자용 팩)을 튼다. 아이들을 반갑게 맞이하며 헌금과 기도를 도와준다. 예배 중에 헌금 순서가 있다면 헌금을 잘 간수하도록 돕는다. 가방과 옷을 정리하도록 안내한다. 새로 온 아이에게는 음수대와 화장실의 위치를 알려 주고, 보호자와 만나는 시간과 방법 등을 소개한다. 보호자를 위한 안내문을 붙여 끝나는 시간, 기다리는 장소, 헌금 방법, 아이에 대한 특별한 주의 사항을 교사에게 미리 알려 달라는 당부 등을 공지한다.

너랑 나랑 — 마음 열기

아이들이 편안하고 친숙하게 하나님께 마음을 열고, 하나님을 알아 가도록 돕는 놀이 환경을 제공한다. 흥미를 유발할 수 있는 놀잇감으로 자유 놀이 영역을 구성한다. 단원별 공통 활동에 각 과의 주제와 연결된 활동 영역을 추가하여 아이들이 자유롭게 선택하게 한다. 충분히 활동할 수 있도록 20분 정도 할애하는 것이 좋다.

동작 보여 주기

USB
준비물 ▶ '행동 약속 카드'(지도자용 팩)

❶ '행동 약속 카드'(지도자용 팩)를 프린트해 잘라 둔다.
❷ 인도자는 카드를 고른 후, "할 수 있어요!"라고 말하고 동작을 따라 한다.
❸ 아이들에게 카드를 고르게 하고, "할 수 있어요!"라고 말한 뒤 카드의 동작을 따라 하게 한다.

인도자 카드에 있는 동작을 몸으로 잘 보여 주었어요. 오늘 성경 이야기에서 요한은 사랑이 어떤 것인지 예수님이 직접 보여 주셨다고 알려 준대요. 예수님이 보여 주신 사랑은 어떤 것인지 성경 이야기를 잘 들어 보아요.

패턴 놀이

준비물 ▶ 3가지 색깔의 하트 모양 부직포 5개씩, 매직

❶ 하트 모양의 부직포에 색깔별로 글자를 적어 둔다.

예) 빨강-'뽀', 파랑-'하', 노랑-'루'

❷ 부직포 하트를 나열해 패턴을 만들고, 적힌 글자를 가사로 만들어 "산토끼" 음률에 맞춰 노래를 불러 준다.

예) '빨강 - 파랑 - 빨강 - 노랑 - 파랑 - 빨강' → '뽀 - 하 - 뽀 - 루 - 하 - 뽀'

❸ 아이들에게 부직포 하트로 다양한 패턴을 만들게 한 후, 인도자가 패턴에 따라 가사를 바꾸어 노래를 불러 준다.

인도자 하트로 다양한 노래 가사를 잘 만들었어요. 요한은 예수님을 믿는 그리스도인들은 서로 사랑해야 한다고 편지에서 말했어요. 왜 서로 사랑해야 하는지 성경 이야기를 잘 들어 보아요.

가족 찾기

준비물 ▶ 아이들의 가족 2명의 독사진, 자석 스티커, 자석 칠판

❶ 사진 뒷면에 자석 스티커를 붙인 후, 사진을 자석 칠판에 붙여 놓는다.

tip 보호자에게 미리 요청해 사진을 받아 둔다.

❷ 아이들에게 자기 가족의 사진을 찾아 떼게 한다. 떼어 낸 사진으로 소꿉놀이 또는 역할 놀이를 하게 한다.

인도자 우리 가족들은 우리를 사랑해요. 우리도 가족들을 사랑하지요. 오늘 성경 이야기에서 요한은 예수님을 믿는 그리스도인들은 서로 사랑하는 것을 행동으로 보여 줘야 한다고 편지를 썼대요. 가족에게 사랑하는 마음을 어떻게 보여 줄 수 있을지 성경 이야기를 잘 들어 보아요.

가스펠 설교 대형으로 모이기

- 카운트다운 영상, 모이기 노래 등을 활용해 설교 대형으로 바꾸고 마음을 준비하게 한다.

가스펠 설교

하나 — 성경 이야기

tip

• '사랑' 단어 강조하기 : '마음 열기 - 패턴 놀이'에 사용한 하트 모양 부직포를 인도자의 재킷 안쪽이나 주머니에 숨겼다가 '사랑'이라는 단어가 나올 때마다 꺼내 보여 준다.

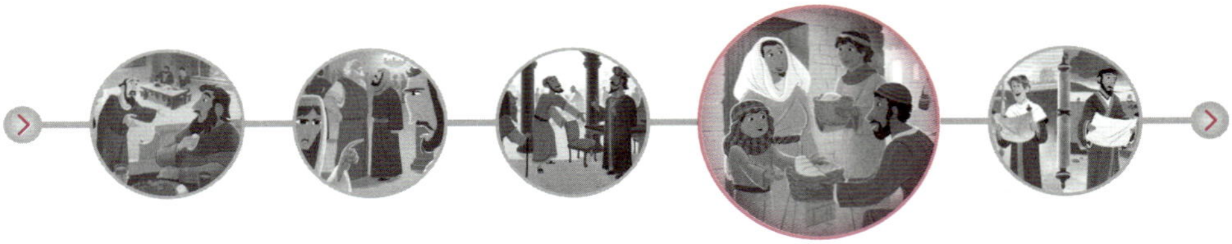

USB

아이들에게 성경을 나눠 주고 펼치게 한다. 제목을 말하고, 성경 본문의 핵심 부분을 읽어 준다. 말씀 듣기 시간을 알려 주는 찬양을 부른 후 성경 이야기를 읽어 주거나 설교 영상(지도자용 팩)을 보여 준다.

요한은 예수님의 열두 제자 중 한 사람이에요. 예수님을 믿는 사람이 많아지면서 교회도 점점 많아졌어요. 요한은 예수님을 따르는 사람들이 어떻게 살아야 하는지 알려 주려고 편지를 썼어요. 예수님을 따르는 사람은 예수님을 모르는 사람과 달라야 해요. 요한이 말했어요. "예수님은 예수님이 우리를 사랑하신 것처럼 우리도 서로 사랑해야 한다고 말씀하셨습니다. 사람들은 우리가 서로 사랑하는 모습을 보고 우리가 예수님을 따른다는 것을 알게 됩니다." 그렇다면 사랑은 어떤 모습일까요? 요한이 말했어요. "예수님이 우리를 위해 자기 생명을 버리셨기 때문에 우리는 사랑이 어떤 것인지 압니다. 우리도 다른 사람에게 나누어 주고, 예수님이 우리를 도우신 것처럼 다른 사람을 도울 수 있습니다. 말로만 다른 사람을 사랑한다고 해서는 안 됩니다. 행동으로 보여 주어야 합니다!"

둘 — 가스펠 포인트

요한이 교회에 편지를 썼어요.
요한은 예수님을 따르는 사람은 사람들에게 사랑을 보여 줘야 한다고 말했어요.
예수님이 우리를 사랑하시기 때문에 우리도 다른 사람을 사랑해요.

"나처럼 해 봐요" 곡에 맞춰 다음 가사로 노래를 부르며 메시지를 정리한다.

하나님 우리를 도와요
순종 – 하도록 도와요
사랑 – 하도록 도와요
아이참 기쁘구나.

요한이 교회에 편지를 썼어요. 요한은 예수님을 따르는 사람은 사람들에게 사랑을 보여 줘야 한다고 말했어요. **하나님은 우리가 하나님께 순종하도록 도와주세요.**

셋 — 복음 초청

성경과 복음 초청 가이드(65쪽)를 이용해서 아이들에게 그리스도를 소개한다.

예수님을 믿고 싶은 친구는 함께 기도해요.

넷 — 기도

하나님, 우리를 사랑하신 예수님을 따라 우리도 다른 사람들에게 사랑을 보여 줄 수 있도록 도와주세요. 예수님 이름으로 기도합니다. 아멘.

다섯 — 암송송

1단원 암송송(134쪽)을 손유희와 함께 부르거나, 일부 구절 또는 간단하게 줄인 문장을 활용할 수 있다.

"내가 그리스도와 함께 십자가에 못 박혔나니 그런즉 이제는 내가 사는 것이 아니요 오직 내 안에 그리스도께서 사시는 것이라 이제 내가 육체 가운데 사는 것은 나를 사랑하사 나를 위하여 자기 자신을 버리신 하나님의 아들을 믿는 믿음 안에서 사는 것이라"(갈 2:20).

"예수님을 믿는 믿음으로 살아요."

가스펠 활동

알콩달콩 소그룹

사랑을 표현해요

준비물 ▶ 영유아부 교재 10쪽, 41쪽 '사랑을 주는 아이' 스티커

❶ 그림을 보고 각각 어떤 상황인지 이야기를 나눈다.

❷ 영유아부 교재 41쪽 '사랑을 주는 아이' 스티커를 떼어 알맞은 자리에 붙이고, 아이들이 사랑을 어떻게 표현하고 있는지 이야기를 나눈다.

❸ 아이들에게 사랑이 필요한 사람을 떠올려 보라고 한 뒤, 그 사람에게 어떻게 사랑을 표현할지에 대해 이야기를 나눈다.

인도자 필요한 사랑을 잘 표현했어요! 요한은 예수님을 따르는 사람은 사람들에게 사랑을 보여 줘야 한다고 편지에 썼어요. 예수님이 우리를 사랑하시기 때문에 우리도 다른 사람을 사랑할 수 있어요. 또한 요한은 사람들이 우리가 서로 사랑하는 것을 보고 우리가 예수님을 따른다는 것을 알게 된다고 말했어요. **하나님은 우리가 하나님께 순종하도록 도와주세요.**

아기 곰 친구들과 놀아요

준비물 ▶ 곰 모양 젤리, 시리얼, 종이컵

❶ 아이들에게 곰 모양 젤리를 5개씩 나누어 주고, 젤리로 자유롭게 인형 놀이를 하게 한다.

❷ 시리얼을 종이컵에 담아 나누어 주고, 배고픈 아기 곰에게 시리얼을 나누어 줄 수 있는지 물어본다.

인도자 배가 고픈 아기 곰들에게 시리얼을 나누어 줄 수 있었나요? 아기 곰들에게 사랑을 보여 준 것처럼 예수님을 따르는 사람은 사람들에게 사랑을 보여 줘야 해요. 예수님이 우리를 사랑하시기 때문에 우리는 다른 사람에게 사랑을 보여 줄 수 있어요. **하나님은 우리가 하나님께 순종하도록 도와주세요.**

영차, 영차 — 대그룹

사랑을 나누어요

준비물 ▶ 하트 스티커, 개별 포장된 젤리(인원수 2배 이상), 바구니

❶ 포장지에 하트 스티커를 붙인 젤리를 바구니에 담아 둔다.
❷ 아이들을 두 팀으로 나누고, 두 팀이 서로 마주 보도록 팀별로 한 줄로 앉힌다.
❸ 인도자가 "예수님은 친구들을 사랑해요!"라고 말하며 A팀 앞에 젤리를 뿌려 준다.
❹ A팀 아이들에게 하트가 붙은 젤리를 2개씩 주워 하나는 갖고 다른 하나는 마주 보는 상대 팀 아이에게 주며 "예수님은 널 사랑해!"라고 말해 주라고 한다.
❺ 이번에는 B팀 앞에 젤리를 뿌리고 같은 활동을 반복하게 한다.

인도자 예수님은 우리에게 사랑을 보여 주셨어요. 예수님을 따르는 사람은 사람들에게 사랑을 보여 줘야 해요. 예수님이 우리를 사랑하시기 때문에 우리도 다른 사람을 사랑할 수 있고, 우리가 사랑을 보여 줄 때 우리가 예수님을 따르는 그리스도인이라는 것을 사람들이 알게 되기 때문이에요. **하나님은 우리가 하나님께 순종하도록 도와주세요.**

소곤소곤 꿀~꺽 간식

준비물 ▶ 곰 모양 젤리, 시리얼, 그릇

❶ 아이들에게 주변을 정리하게 하고, 화장실에 가거나 물티슈 등을 이용해 손을 씻을 시간을 준다.

❷ 감사 기도를 드리고 곰 모양 젤리와 시리얼을 간식으로 나누어 준다. 간식을 먹는 동안 예수님이 우리를 사랑하신 것처럼 우리도 서로 사랑할 수 있다고 이야기해 준다.

신나는 마무리

준비물 ▶ 영유아부 교재 9쪽 활동지, 3쪽 메시지 카드, 42쪽 '이야기 성경' 스티커

❶ 활동지와 스티커, 메시지 카드를 나누어 주고 가족과 함께 오늘 배운 성경 이야기를 기억하라고 격려하며 가방을 정리해 준다.

가족과 활동해요

- '이야기 성경' 스티커를 붙이며 말씀을 기억해요.
- 가족들이 서로에게 "사랑해"라고 말하며 꼭 안아 주거나 뽀뽀해 주세요.
- 간식을 먹을 때 "사랑해"라고 말하며 서로 간식을 나누어 보세요.

❷ 축복과 파송의 메시지를 담은 찬양을 부르며 인사한다.

❸ 아이를 데리러 온 보호자에게 아이가 특별히 즐거워했거나 잘했던 활동들에 대해 이야기해 주고, 가정에서 활동지와 스티커, 메시지 카드를 활용해 말씀을 들려주도록 격려한다.

5

교회 지도자들에게 편지를 보냈어요

[딤전 4:11~16; 딤후 4:1~8; 딛 2:11~14]

가스펠 포인트

디모데와 디도는 교회의 지도자들이에요.
바울은 디모데와 디도에게 힘을 주기 위해 편지를 썼어요.
우리는 힘든 상황에서도 예수님을 전할 수 있어요.

단원 주제

하나님은 우리가 하나님께 순종하도록 도와주세요.

단원 암송

예수님을 믿는 믿음으로 살아요(갈 2:20).

본문 속으로

초대교회가 예루살렘 밖으로 퍼져 나가면서 여러 도시에 새로운 교회들이 생겨났습니다. 각 교회에는 교회가 성장하고 복음에 충실할 수 있도록 도울 경건한 지도자가 필요했습니다. 이런 필요를 알았던 바울은 교회 지도자들에게 편지를 썼습니다. 디모데서와 디도서가 이런 편지에 속합니다.

디모데는 바울의 제자였습니다. 바울과 함께 여행하며 그를 도왔습니다. 이제 디모데는 에베소 교회의 지도자가 되었습니다. 디도는 이방인 성도로 바울과 함께 여행을 다녔습니다. 그리고 크레타(그레데) 섬에 남아 더 많은 교회 지도자를 세우는 일을 돕고 있었습니다. 바울은 디모데와 디도에게 조언하고 모든 교회 지도자에게 지침을 주기 위해 편지를 썼습니다.

바울은 디모데와 디도에게 지도자가 되는 것은 힘든 일이라고 말했습니다. 하지만 그들을 지도자로 세운 분은 하나님이십니다. 지도자의 역할은 하나님을 섬기는 것입니다. 바울은 그들이 인내하며 그리스도를 기쁘시게 하는 삶을 살기를 바랐습니다.

●● 티칭 포인트

아이들을 가르칠 때, 하나님이 선물로 주신 교회 지도자들의 소중함을 깨닫게 해 주십시오. 아이들이 교회 지도자들을 사랑하고 존경할 수 있도록 도와주십시오. 아이들이 부서 지도자들을 격려할 방법을 찾아보십시오. 더불어 하나님은 아이들 안에서 일하고 계시며, 머지않은 미래에 그들도 교회의 지도자가 될 수 있다는 점을 강조하십시오. 교회 지도자가 되는 일은 사람들이 복음을 바라볼 수 있도록 돕는 놀라운 특권입니다.

마지막으로 교회 지도자들은 그들의 뜻대로 교회를 이끄는 것이 아니라는 사실을 아이들에게 알려 주십시오. 교회 지도자들은 섬김의 본을 보이신 예수님의 모습을 따라야 합니다. 예수님은 우리 죄를 용서하기 위해 자신의 생명을 내어 주셨습니다.

이야기 성경

교회 지도자들에게 편지를 보냈어요

딤전 4:11~16; 딤후 4:1~8; 딛 2:11~14

예수님이 하늘로 올라가신 후 예수님을 따르는 사람들을 돕기 위해 성령님이 오셨어요. 예수님에 대한 좋은 소식인 복음을 듣고 믿는 사람이 점점 늘어나면서 교회가 커졌어요. 예수님을 믿는 사람들은 여러 도시로 흩어져 더 많은 사람에게 예수님을 전했어요. 그리스도인들은 함께 모여 교회를 이루었고, 교회의 지도자들은 그들에게 하나님이 누구이신지, 그리스도인은 어떻게 살아야 되는지를 가르쳤어요.

바울은 교회 지도자 몇 사람에게 편지를 썼어요. 그중 한 명이 디모데예요. 그는 바울의 제자였고, 바울과 함께 여행하며 바울을 도왔어요. 이제 디모데는 에베소 교회의 지도자가 되었어요.

바울은 디모데에게 보내는 편지에서 이렇게 말했어요. "사랑하는 디모데, 당신이 어리다는 것은 아무 문제도 되지 않습니다. 다른 그리스도인들의 모범이 되십시오. 그들에게 어떻게 살고, 어떻게 사랑하며, 어떻게 하나님을 믿고 의지하는지를 보여 주십시오." 바울은 이런 말도 했어요. "사람들에게 무엇이 옳은지를 가르쳐 주십시오. 하나님의 말씀을 가르치고, 언제나 예수님에 대한 좋은 소식인 복음을 전할 준비가 되어 있어야 합니다. 나중에는 사람들이 옳은 말을 듣지 않을 것입니다. 거짓이라 하더라도 자신들이 듣기에 좋은 말을 해 주기를 바랄 것입니다. 그러나 그러지 마십시오! 무슨 일이 있어도 언제나 하나님의 진리만 말하십시오."

디도도 교회 지도자 중 한 명이었어요. 그도 바울의 제자인데, 바울과 함께 복음을 전하며 여행했지요. 그리고 그레데섬에 남아 교회의 지도자가 되었어요. 바울은 디모데와 디도에게 교회 지도자들과 좋은 생각을 나누고, 그들이 무엇을 해야 하는지를 가르쳐 주라고 말했어요.

바울은 디도에게 쓴 편지에서 이렇게 말했어요. "하나님은 죄인에게 친절하십니다. 죄인을 죄에서 구원하려고 예수님을 보내셨지요. 이 때문에 우리는 옳은 일을 하고 싶어 합니다. 하나님을 기쁘시게 하는 모습으로 살고 싶은 것입니다. 언젠가 예수님이 다시 오실 것입니다. 우리가 선한 일을 하고 싶어 하는 이유는 예수님이 우리를 사랑하시기 때문입니다."

●● 예수님 생각하기

바울은 교회 지도자들에게 편지를 썼어요. 그들이 하나님의 백성을 잘 이끌도록 도와주었지요. 교회 지도자들은 그리스도인들이 무엇이 옳은지 알도록 도와주고 교회를 섬겨요. 예수님이 우리의 죄 때문에 십자가에서 죽으심으로 우리를 섬기신 것처럼요.

가스펠 준비

싱글벙글 환영해요

USB

"주의 교회"(지도자용 팩)을 튼다. 아이들을 반갑게 맞이하며 헌금과 기도를 도와준다. 예배 중에 헌금 순서가 있다면 헌금을 잘 간수하도록 돕는다. 가방과 옷을 정리하도록 안내한다. 새로 온 아이에게는 음수대와 화장실의 위치를 알려 주고, 보호자와 만나는 시간과 방법 등을 소개한다. 보호자를 위한 안내문을 붙여 끝나는 시간, 기다리는 장소, 헌금 방법, 아이에 대한 특별한 주의 사항을 교사에게 미리 알려 달라는 당부 등을 공지한다.

너랑 나랑 마음 열기

아이들이 편안하고 친숙하게 하나님께 마음을 열고, 하나님을 알아 가도록 돕는 놀이 환경을 제공한다. 흥미를 유발할 수 있는 놀잇감으로 자유 놀이 영역을 구성한다. 단원별 공통 활동에 각 과의 주제와 연결된 활동 영역을 추가하여 아이들이 자유롭게 선택하게 한다. 충분히 활동할 수 있도록 20분 정도 할애하는 것이 좋다.

자유 놀이 구성

- 십자가 표현하기
- 교회 만들기
- 십자가 솜 물들이기
- 힘내라, 힘! 놀이
- 예수님에 관한 찬양 부르기
- > 편지 쓰기 > 예수님 이름 부르기
- 편지 쓰기
- 자석 글자 놀이

힘내라, 힘! 놀이

준비물 ▶ 나무 블록, 장난감 공구 세트(드라이버, 망치, 너트, 볼트 등)

❶ 인도자가 자원하는 아이와 팔씨름을 한다.

❷ 나머지 아이들은 주위에 모여서 "힘내라! 힘!"이라고 외치며 팔씨름하는 아이를 응원하게 한다.

인도자 여러분이 응원을 정말 열심히 해 줘서 ○○[아이 이름]이가 저를 이길 수 있었어요. 오늘 성경 이야기에서 바울이 교회 지도자들에게 힘을 내라는 편지를 써서 보냈대요.

어떤 지도자들에게 쓴 편지였을까요? 성경 이야기를 잘 들어 보아요.

편지 쓰기

준비물 ▶ 편지지, 편지 봉투, 다양한 모양의 도장, 색연필

❶ 아이들에게 편지지를 주고, 다양한 모양의 도장을 찍어 도장 편지를 만들게 한다.

❷ 완성한 편지를 봉투에 넣고, 색연필로 봉투를 꾸미게 한다.

인도자 오늘 성경 이야기에서 바울은 교회 지도자들이 힘을 내도록 편지를 써 보냈어요. 누구에게 보낸 편지인지 성경 이야기를 잘 들어 보세요.

자석 글자 놀이

준비물 ▶ 자석 칠판, 자석 글자, A4 용지, 사인펜

❶ 아이들에게 자석 칠판과 자석 글자 세트 2개를 주고 자유롭게 놀이하게 한다.

❷ 사랑, 편지, 바울, 디모데, 디도 등의 단어를 A4 용지에 크게 적고, 한 단어를 골라 제시하며 자석 글자로 똑같이 만들어 보게 한다.

❸ 완성한 단어를 아이들과 함께 읽고, 새로운 단어들을 만들어 보게 한다.

tip 아이들이 자석 글자를 빨거나 입에 넣지 않도록 주의한다.

인도자 바울이 디모데와 디도라는 교회 지도자들에게 편지를 보냈대요. 편지에 뭐라고 써서 보냈을까요? 성경 이야기를 잘 들어 보아요.

가스펠 설교 대형으로 모이기

• 카운트다운 영상, 모이기 노래 등을 활용해 설교 대형으로 바꾸고 마음을 준비하게 한다.

가스펠 설교

하나 — 성경 이야기

tip

- 디모데와 디도가 되어 보기 : 자원하는 아이 2명에게 디모데와 디도 역할을 하게 하고, 편지를 읽기 전에 일어나서 편지를 받는 동작을 하게 한다.

USB

아이들에게 성경을 나눠 주고 펼치게 한다. 제목을 말하고, 성경 본문의 핵심 부분을 읽어 준다. 말씀 듣기 시간을 알려 주는 찬양을 부른 후 성경 이야기를 읽어 주거나 설교 영상(지도자용 팩)을 보여 준다.

바울은 가는 곳마다 교회를 세우고 사람들에게 예수님을 전했어요. 그리고 다른 지역으로 떠날 때가 되면 교회에 하나님의 말씀을 가르칠 지도자들을 남겨 두었어요. 지도자 중에 디모데와 디도가 있었어요. 바울은 그들에게 힘을 주려고 편지를 썼어요. 바울은 디모데에게 "성경을 열심히 읽고 사람들을 잘 가르치십시오. 가르치는 사람들에게 본이 되십시오. 힘든 상황에서도 언제나 사람들에게 예수님을 전하십시오"라고 말했어요. 디도에게는 "우리가 예수님이 다시 오시기를 기다리며 사는 동안 하나님의 사랑이 우리가 하나님을 위해 살도록 도우실 것입니다. 예수님은 우리를 구하시고 우리를 하나님의 백성으로 삼으십니다"라고 말했어요. 바울은 디모데와 디도가 사람들에게 예수님을 잘 전하도록 도왔어요.

둘 — 가스펠 포인트

디모데와 디도는 교회의 지도자들이에요.
바울은 디모데와 디도에게 힘을 주기 위해 편지를 썼어요.
우리는 힘든 상황에서도 예수님을 전할 수 있어요.

"나처럼 해 봐요" 곡에 맞춰 다음 가사로 노래를 부르며 메시지를 정리한다.

♪

하나님 우리를 도와요
순종 – 하도록 도와요
사랑 – 하도록 도와요
아이참 기쁘구나.

디모데와 디도는 사람들에게 예수님을 가르치는 교회 지도자들이었어요. **하나님은** 힘든 상황에서도 **우리가 하나님께 순종하도록 도와주세요.**

셋 — 복음 초청

성경과 복음 초청 가이드(65쪽)를 이용해서 아이들에게 그리스도를 소개한다.

예수님을 믿고 싶은 친구는 함께 기도해요.

넷 — 기도

하나님, 어떤 상황에서도 예수님을 전할 수 있도록 도와주세요. 예수님 이름으로 기도합니다. 아멘.

다섯 — 암송송

1단원 암송송(134쪽)을 손유희와 함께 부르거나, 일부 구절 또는 간단하게 줄인 문장을 활용할 수 있다.

"내가 그리스도와 함께 십자가에 못 박혔나니 그런즉 이제는 내가 사는 것이 아니요 오직 내 안에 그리스도께서 사시는 것이라 이제 내가 육체 가운데 사는 것은 나를 사랑하사 나를 위하여 자기 자신을 버리신 하나님의 아들을 믿는 믿음 안에서 사는 것이라"(갈 2:20).

"예수님을 믿는 믿음으로 살아요."

가스펠 활동

알콩달콩 소그룹

편지를 전달해요

준비물 ▶ 영유아부 교재 12쪽, 색연필

❶ 바울에서 출발해 디모데와 디도까지 각각의 길을 손가락으로 짚으며 따라가 보라고 한다.

❷ 그다음 색연필로 선을 그어 보게 한다.

인도자 바울은 교회 지도자인 디모데와 디도에게 편지를 보냈어요. 바울은 편지로 좋은 생각을 나누고, 또 교회 지도자들이 해야 할 일을 알려 주었어요. 힘든 상황에도 예수님의 기쁜 소식을 전해야 한다고 말했어요. **하나님은 우리가 하나님께 순종하도록 도와주세요.**

색깔이 퍼져요, 복음이 퍼져요

준비물 ▶ 플라스틱 접시, 우유, 스포이트, 식용 색소 3색, 주방 세제, 면봉

❶ 플라스틱 접시에 우유를 자작하게 붓고, 아이들에게 식용 색소를 우유에 떨어뜨리라고 한다.

❷ 면봉에 주방 세제를 듬뿍 묻힌 후, 우유 한가운데를 찍어 보게 한다.

❸ 아이들과 색이 퍼지는 모습을 함께 관찰한다.

tip 물감은 같은 효과가 나타나지 않으니 반드시 식용 색소를 사용한다.

인도자 색깔이 아름답게 퍼져 나가는 것을 보았어요. 이처럼 예수님의 기쁜 소식은 힘든 상황에서도 계속 전해진답니다. 바울은 교회 지도자인 디모데와 디도에게 편지를 보

내 힘을 주었어요. **하나님은 우리가** 어떤 상황에서도 예수님을 전하며 **하나님께 순종하도록 도와주세요.**

영차, 영차 **대그룹**

힘내라, 힘!

❶ 아이들과 손뼉을 치며 "힘내라, 힘!"이라고 응원해 본다.

❷ 교회 안에서 응원이 필요한 사람은 누가 있을지 이야기를 나누어 본다.

❸ 예배 인도자와 교사들을 앞에 세우고, 아이들과 함께 일어나 "힘내라, 힘!"이라고 외치며 응원한다.

tip 목사님과 전도사님 사진을 보여 주며 활동해도 좋다.

인도자 교회 지도자들에게 힘을 내라고 함께 응원했어요. 바울은 편지를 써서 교회 지도자인 디모데와 디도에게 힘을 주었어요. **하나님은 우리가** 어떤 상황에서도 예수님을 전하며 **하나님께 순종하도록 도와주세요.**

응원의 편지를 보내요

준비물 ▶ 편지 2통, 우편함 2개, 마스킹 테이프

❶ 예배실 바닥에 마스킹 테이프로 구불구불한 길을 2개 만들고, 반환 지점에 우편함을 각각 둔다.

❷ 아이들을 두 팀으로 나누고, 출발 신호에 따라 한 명씩 편지를 가지고 길을 따라가 우편함에 넣고 돌아오게 한다.

인도자 바울이 교회의 지도자인 디모데와 디도에게 편지를 보냈어요. 그 편지에는 어떤 상황에서도 힘을 내어 예수님의 복음을 전하라고 쓰여 있었어요. **하나님은 우리가 하나님께 순종하도록 도와주세요.**

소곤소곤 꿀~꺽 간식

준비물 ▶ 우유, 마들렌, 접시, 컵

❶ 아이들에게 주변을 정리하게 하고, 화장실에 가거나 물티슈 등을 이용해 손을 씻을 시간을 준다.

❷ 감사 기도를 드리고 우유와 마들렌을 간식으로 나누어 준다. 바울은 교회 지도자들에게 편지를 보내 힘을 주고 예수님을 잘 전할 수 있도록 도왔다고 말해 준다.

신나는 마무리

준비물 ▶ 영유아부 교재 11쪽 활동지, 37쪽 메시지 카드, 42쪽 '이야기 성경' 스티커

❶ 활동지와 스티커, 메시지 카드를 나누어 주고 가족과 함께 오늘 배운 성경 이야기를 기억하라고 격려하며 가방을 정리해 준다.

가족과 활동해요

- '이야기 성경' 스티커를 붙이며 말씀을 기억해요.
- 아이들과 함께 말씀을 가르치는 사역자들을 위해 음료, 초콜릿 과자 등 작은 선물을 준비해 전달해 보세요.
- 다른 나라에서 예수님의 복음을 전하는 선교사님들이 힘을 내도록 가족이 함께 기도해요.

❷ 축복과 파송의 메시지를 담은 찬양을 부르며 인사한다.

❸ 아이를 데리러 온 보호자에게 아이가 특별히 즐거워했거나 잘했던 활동들에 대해 이야기해 주고, 가정에서 활동지와 스티커, 메시지 카드를 활용해 말씀을 들려주도록 격려한다.

나를 위한 하나님의 멋진 계획

'복음'이라는 말을 들어 본 적 있니? 복음이란 '좋은 소식'이라는 뜻이야. 우리에게 보내신 하나님의 좋은 소식이 무엇일까?

하나님은 왕이세요

하나님이 세상의 모든 것을 만드셨어요. 이 세상을 돌보는 왕은 누구일까요? 바로 하나님이세요.

(창 1:1; 골 1:16~17; 계 4:11)

사람들이 죄를 지었어요

잘못한 적이 있나요? 우리 모두 죄를 지어요. 하나님 말씀에 순종하지 않는 것이 죄예요. 죄는 하나님을 슬프게 해요.

(롬 3:23, 6:23)

하나님이 예수님을 보내셨어요

하나님은 죄를 지으면 반드시 벌을 주세요. 하지만 하나님은 우리를 사랑하세요. 그래서 하나님은 우리 대신 벌 받으실 하나님의 아들, 예수님을 보내셨어요.

(요 3:16; 엡 2:8~9)

예수님이 우리를 사랑하세요

예수님은 우리에게 최고의 선물을 주셨어요. 예수님은 죄가 없으세요. 하지만 우리 대신 벌을 받으셨어요. 우리를 사랑하시니까요.

(롬 5:8; 고후 5:21; 벧전 3:18)

예수님! 우리 마음에 오세요!

예수님을 믿고 마음에 받아들이면 하나님의 자녀가 될 수 있어요. 같이 기도해요.

"하나님, 저를 사랑하시고 예수님을 보내 주셔서 감사합니다. 예수님이 저의 죄를 용서해 주시려고 벌을 대신 받으신 것을 믿어요. 예수님을 마음에 모시면 하나님이 저의 아빠가 되심을 믿어요. 예수님 이름으로 기도합니다. 아멘."

(요 1:12~13; 롬 10:9~10, 13)

2 단원

변화시키시는 하나님

바울을 비롯한 초대교회 지도자들은 성령님이 우리 마음과 생각을 변화시키셔서, 예수님을 사랑하고 섬기며 예수님이 맡기신 임무를 잘 수행할 수 있게 하신다는 사실을 기억하도록 성도들에게 편지를 썼습니다.

우리는
하나님의 자녀예요

마음을 새롭게 해
변화를 받아요

성령의 열매를
맺어요

믿음의 사람들

기쁘게 주어요

하나님의
전신 갑주를
입어요

마음 열기 자유 놀이 구성

놀이 영역 / 과	신체	쌓기 및 역할	미술	음률	감각 탐색	언어
공통	>모래 놀이 >성령의 공 던지기	소풍 놀이	글자 도장 찍기	씨앗 셰이커 흔들기	마음 찾기	성경 읽기
6과	선물 주기				아빠 찾기	
7과	고리 연결하기			헌것과 새것 비교하기		
8과	키 재기				과일과 씨앗 관찰하기	
9과	도와주기		전신 갑주 그림 보여 주기			
10과	기쁘게 주기				돈 보여 주기	
11과			믿음 발견하기			약속하기

모래 놀이

준비물 ▶ 놀이용 모래 1kg, 넓은 플라스틱 통, 나무젓가락

플라스틱 통에 놀이용 모래를 넣고 나무젓가락으로 자유롭게 그림, 선, 글자를 표현해 보게 한다.

성령의 공 던지기

USB

준비물 ▶ 탱탱볼, 블록, 하트 스티커, '죄 짓는 모습'(지도자용 팩), 가위, 셀로판테이프

'죄 짓는 모습'(지도자용 팩)을 프린트해 잘라 셀로판테이프를 이용해 블록에 붙이고, 탱탱볼에는 하트 스티커를 붙여 둔다. 아이들에게 블록을 높이 쌓은 후, 탱탱볼을 던져 블록을 허물어 보라고 한다.

소풍 놀이

준비물 ▶ 장난감 음식, 그릇

아이들에게 장난감 음식과 그릇을 주고, 소풍 가서 맛있는 음식을 먹는 놀이를 해 보자고 한다. 소품 중 과일을 준비해 과일에 관한 이야기를 나눈다.

글자 도장 찍기

준비물 ▶ '참 잘했어요' 도장, A4 용지

아이들에게 종이에 도장을 찍어 보라고 한다. '참 잘했어요!' 글자가 찍히면 아이들에게 무슨 글자인지 읽어 주고 따라 읽게 한다.

씨앗 셰이커 흔들기

준비물 ▶ 250ml 투명 페트병, 씨앗, 찬양 음원, 음원 재생 기기

투명 페트병에 씨앗을 담아 셰이커를 만들어 둔다. 아이들에게 씨앗 셰이커를 탐색해 보라고 한 뒤, 찬양 음원을 틀어 주고 박자에 맞춰 흔들어 보게 한다.

마음 찾기

준비물 ▶ 플라스틱 통, 마카로니 2kg, 하트 스티커, 탁구공

플라스틱 통에 마카로니와 하트 스티커를 붙인 탁구공을 담아 둔다. 아이들에게 한 명씩 눈을 감고 통 속에 있는 하트 탁구공을 찾아보게 한다.

성경 읽기

준비물 ▶ 그림 성경

하나님의 사랑과 능력, 보호하심을 잘 보여 주는 성경 이야기를 아이들에게 읽어 준다.

카운트다운

차곡차곡 블록

USB

카운트다운 영상(지도자용 팩)은 이전 활동을 마무리하고, 다음 활동으로 전환할 때 활용한다. 같은 순서에 반복 사용하는 것이 효과적이다.

단원 주제

성령님은 우리가 하나님을 사랑하도록 도우세요.

단원 암송

새 사람이 되었어요.

그런즉 누구든지 그리스도 안에 있으면 새로운 피조물이라 이전 것은 지나갔으니 보라 새것이 되었도다(고후 5:17).

6
우리는 하나님의 자녀예요

[롬 8:12~39]

가스펠 포인트

예수님을 사랑하는 사람은 하나님의 자녀라고 불려요.
하나님은 예수님을 사랑하는 사람에게 성령님을 주세요.
이 세상 어느 것도 우리를 향한 하나님의 사랑을 막을 수 없어요.

단원 주제

성령님은 우리가 하나님을 사랑하도록 도우세요.

단원 암송

새 사람이 되었어요(고후 5:17).

본문 속으로

바울이 살던 시대에 로마는 중요한 도시였습니다. 바울은 로마 제국의 수도에 있는 교회가 복음으로 든든히 뿌리내리는 것의 중요성을 알았습니다. 신약성경에 언급되는 다른 교회들과 달리 로마 교회는 바울이 세운 교회가 아니었습니다. 오히려 한 번도 가 보지 못한 교회였습니다. 이 편지를 쓸 당시 바울은 로마에 있는 성도들이 복음을 제대로 이해하도록 돕기 위해 처음으로 로마를 방문할 계획이었습니다.

로마서는 성경을 통틀어 복음이 무엇인지를 가장 명쾌하게 설명하는 책입니다. 바울은 우리 모두를 괴롭히는 죄 문제를 설명하는 것으로 편지를 시작합니다. 그 후에 예수님의 완전한 삶과 죽음과 부활이 예수님을 믿는 사람을 구원하기에 충분하다는 사실을 알려 줍니다.

로마서 5장은 사람들을 그리스도로부터 멀어진 연약하고 경건하지 않은 죄인이자 원수로 묘사합니다. 그리고 8장은 예수님과의 교제가 우리에게 어떤 변화를 가져오는지 보여 줍니다. 바울은 성도를 가리켜 그리스도 안에 있는 하나님의 자녀라고 말합니다. 이 얼마나 대단한 변화입니까!

복음은 단지 죽음이라는 죄의 궁극적 결과로부터 우리를 구하는 역할만 하는 것이 아닙니다. 하나님 앞에서 어중간한 위치에 서도록 하는 것도 아닙니다. 복음으로 인해 우리는 하나님의 자녀가 되며, 하나님을 사랑하는 아버지라고 부를 수 있는 권한과 특권을 갖게 됩니다. 하나님의 자녀가 된다는 것은 두려워할 것이 없다는 뜻입니다. 하나님과 우리의 관계는 영원토록 확고한 관계입니다.

●● 티칭 포인트

아이들을 가르칠 때, 아버지와 관계가 좋지 않은 아이가 있을 수 있다는 점을 염두에 두십시오. 아버지가 없는 아이도 있을 것입니다. 하나님은, 언제나 우리와 함께 계시며, 그분의 아들, 예수님으로 인하여 우리를 조건 없이 사랑하시는 우리의 완전한 아버지시라는 점을 사랑을 담아 부드럽게 설명해 주십시오.

이야기 성경

우리는 하나님의 자녀예요

롬 8:12~39

바울은 로마의 그리스도인들에게 편지를 썼어요. 바울은 그들이 예수님을 바르게 믿고, 예수님을 믿는 사람이 어떻게 살아야 하는지 잘 알기를 바랐어요. 그리고 우리가 예수님을 믿으면 하나님이 우리에게 성령님을 주시고, 우리를 하나님의 자녀로 삼으신다고 말했어요.

바울은 편지에 이렇게 썼어요.

"성령님은 그리스도인이 죄를 거절하도록 도우시고, 하나님이 기뻐하시는 모습으로 살 수 있는 능력을 주십니다. 성령님은 우리를 하나님의 자녀로 만드십니다! 우리는 이제 하나님을 두려워할 필요가 없습니다. 하나님은 우리 아버지이십니다. 우리를 사랑하십니다!

하나님은 우리를 위해 하나님의 아들, 예수님을 보내 십자가에서 죽게 하셨습니다. 우리가 예수님을 믿으면 하나님은 우리의 죄를 용서하시고 우리를 하나님의 친자녀와 같이 대하십니다. 예수님을 믿는 우리는 이제 하나님의 자녀입니다!

하나님의 가족이 되었기 때문에 우리의 미래는 좋을 것입니다. 이 땅에서의 삶이 힘들 수 있습니다. 그러나 언젠가 우리는 하나님과 함께 영원히 살 것입니다. 하나님은 지금 일어나는 어려운 일보다 훨씬 더 크고 놀라운 복을 우리를 위해 준비하고 계십니다.

우리가 연약할 때는 성령님이 도와주십니다. 우리가 어떻게 기도해야 할지 모를 때도 성령님이 우리를 위해 기도하십니다. 성령님은 우리가 조금씩 예수님을 닮아 가도록 우리를 변화시키십니다. 하나님은 모든 일을 우리를 위해 하십니다.

하나님은 우리에게 가장 필요한 것을 주셨습니다. 바로 예수님이십니다. 그러니 우리에게 필요한 다른 것도 모두 주실 것입니다. 하나님이 우리를 사랑하시는 일을 막을 수 있는 것은 아무것도 없습니다. 생명도, 죽음도, 권력이나 이 세상 어느 것도 우리를 하나님의 사랑에서 끊을 수 없습니다. 하나님의 사랑은 영원합니다."

●● 예수님 생각하기

우리는 하나님의 자녀예요! 예수님이 우리 죄 때문에 대신 벌을 받으셔서 우리가 하나님의 가족으로 입양되었어요. 예수님이 십자가에서 죽으셨기 때문에 하나님 아버지는 우리를 반갑게 맞이하시고, 하나님의 집에서 하나님과 함께 영원히 살게 하세요. 성령님은 우리가 예수님을 닮아 가도록 변화시키세요.

가스펠 준비

싱글벙글 — 환영해요

USB

"성령의 열매"(지도자용 팩)을 튼다. 아이들을 반갑게 맞이하며 헌금과 기도를 도와준다. 예배 중에 헌금 순서가 있다면 헌금을 잘 간수하도록 돕는다. 가방과 옷을 정리하도록 안내한다. 새로 온 아이에게는 음수대와 화장실의 위치를 알려 주고, 보호자와 만나는 시간과 방법 등을 소개한다. 보호자를 위한 안내문을 붙여 끝나는 시간, 기다리는 장소, 헌금 방법, 아이에 대한 특별한 주의 사항을 교사에게 미리 알려 달라는 당부 등을 공지한다.

너랑 나랑 — 마음 열기

아이들이 편안하고 친숙하게 하나님께 마음을 열고, 하나님을 알아 가도록 돕는 놀이 환경을 제공한다. 흥미를 유발할 수 있는 놀잇감으로 자유 놀이 영역을 구성한다. 단원별 공통 활동에 각 과의 주제와 연결된 활동 영역을 추가하여 아이들이 자유롭게 선택하게 한다. 충분히 활동할 수 있도록 20분 정도 할애하는 것이 좋다.

선물 주기

준비물 ▶ 한 입 거리 간식 또는 작은 장난감

❶ 인도자가 아이들의 이름을 부르며 "사랑하는 OO[아이 이름]아, 너를 사랑하니까 줄게"라고 말하며 준비한 간식 또는 장난감을 하나씩 나눠 준다.

인도자 사랑하는 여러분에게 간식을 주었어요. 사랑하면 좋은 것을 주고 싶어요. 예수님도 예수님을 사랑하는 사람에게 무언가를 주셨대요. 예수님은 무엇을 주셨을까요? 오늘 성경 이야기를 잘 들어 보아요.

아빠 찾기

USB

준비물 ▶ '아빠를 찾아요'(지도자용 팩), A4 용지, 색연필

❶ '아빠를 찾아요'(지도자용 팩)를 A4 용지에 인원수대로 프린트한다.

❷ 아이들에게 그림 왼쪽에 있는 것의 아빠가 누군지 찾아 색연필로 ○표 하게 한다.

인도자 강아지는 개를 닮았고 병아리는 닭을 닮았죠? 그리고 아이는 아빠를 닮았어요. 그렇다면 하나님의 자녀는 누구를 닮았을까요? 맞아요 하나님을 닮았어요! 하나님이 우리가 하나님을 닮게 하기 위해서 주신 것이 있어요. 그게 무엇일까요? 함께 알아 보아요.

가스펠 설교 대형으로 모이기

• 카운트다운 영상, 모이기 노래 등을 활용해 설교 대형으로 바꾸고 마음을 준비하게 한다.

가스펠 설교

하나 — 성경 이야기

tip

- 우체부 배달 가방 활용하기 : 우체부 배달 가방을 열어 편지 봉투를 꺼내며 아이들에게 성경 이야기를 들려준다.

USB

아이들에게 성경을 나눠 주고 펼치게 한다. 제목을 말하고, 성경 본문의 핵심 부분을 읽어 준다. 말씀 듣기 시간을 알려 주는 찬양을 부른 후 성경 이야기를 읽어 주거나 설교 영상(지도자용 팩)을 보여 준다.

바울은 로마 교회에 편지를 썼어요. 그들에게 특별히 해 주고 싶은 말이 있었어요. 바울은 편지에 이렇게 썼어요. “예수님을 믿으면 예수님이 성령님을 주십니다. 성령님을 받은 사람은 하나님의 자녀라고 불립니다.” 우리는 하나님께 직접 말할 수 있어요. 하나님은 우리를 사랑하시는 아버지시기 때문이에요. 하나님은 우리 기도를 들으세요. 우리가 무슨 기도를 해야 할지 모를 때는 성령님이 기도를 도와주세요! 바울이 말했어요. “하나님은 하나님의 자녀들을 위한 계획을 갖고 계십니다. 하나님은 우리에게 일어나는 모든 일이 결국은 좋은 일이 되도록 만드십니다. 사람들이 예수님을 사랑하는 우리에게 나쁜 말을 하거나 나쁜 행동을 해도 상관없습니다. 이 세상 어느 것도 우리를 향한 하나님의 사랑을 막을 수 없습니다.” 예수님은 언제나 우리와 함께하세요!

둘 — 가스펠 포인트

예수님을 사랑하는 사람은 하나님의 자녀라고 불려요.
하나님은 예수님을 사랑하는 사람에게 성령님을 주세요.
이 세상 어느 것도 우리를 향한 하나님의 사랑을 막을 수 없어요.

"우리 모두 다 함께" 곡에 맞춰 다음 가사로 노래를 부르며 메시지를 정리한다.

♪
하나님은 성령님을 보내서 [짝짝!]
우리가 예수님을 사랑하고 [짝짝!]
우리가 친구에게 예수님을 전하게
성령님은 우리를 도우셔! [짝짝!]

성령님은 우리가 하나님을 사랑하도록 도우세요. 예수님을 사랑하는 사람은 하나님의 자녀라고 불려요.

셋 — 복음 초청

성경과 복음 초청 가이드(65쪽)를 이용해서 아이들에게 그리스도를 소개한다.

예수님을 믿고 싶은 친구는 함께 기도해요.

넷 — 기도

하나님을 아주 많이 사랑하도록 성령님 도와주세요! 예수님 이름으로 기도합니다. 아멘.

다섯 — 암송송

2단원 암송송(136쪽)을 손유희와 함께 부르거나, 일부 구절 또는 간단하게 줄인 문장을 활용할 수 있다.

"그런즉 누구든지 그리스도 안에 있으면 새로운 피조물이라 이전 것은 지나갔으니 보라 새것이 되었도다"(고후 5:17).

"새 사람이 되었어요."

가스펠 활동

알콩달콩 — 소그룹

하나님의 자녀를 찾아요

준비물 ▶ 영유아부 교재 14쪽, 색연필

❶ 하나님의 자녀들이 동산 위에 있다고 말해 준다. 왼쪽의 힌트를 갖고 있는 아이 4명을 찾아서 색연필로 ○표 하게 한다.

❷ 아이들에게 하나님을 '아빠'라고 부를 수 있는 자녀는 누구인지 물어본다.

❸ 우리 모두 하나님의 자녀이기 때문에 하나님을 아빠라고 부를 수 있다고 알려 주고, 그림 속 모든 아이에게 색연필로 하트를 그리게 한다.

인도자 어려운 일이 있을 때 아빠를 부르면 아빠가 우리를 도와주어요. 우리가 하지 못하는 일도 아빠는 할 수 있어요. 예수님을 믿는 사람에겐 '하나님'이라는 아빠가 생겨요. 우리가 예수님을 믿고 하나님을 '아빠'라고 부르면 하나님은 우리 죄를 용서해 주시고 우리를 하나님의 아들, 딸이 되게 해 주세요. **성령님은 우리가 하나님을 사랑하도록 도우세요.**

사랑의 편지가 왔어요

준비물 ▶ 편지지(성경 그림, 하트), 색연필, 편지 봉투, 풀, 간이 우편함

❶ 아이들에게 성경과 하트 그림이 그려진 편지지를 나누어 주고, 색연필로 색칠하게 한다.

❷ 완성한 편지지를 접어 편지 봉투에 넣은 후 풀로 붙이게 한다.

❸ 편지를 간이 우편함에 직접 넣게 한다.

tip 예배 후 우편함에 넣은 편지를 아이들에게 다시 나누어 주고 부모님에게 전달하게 한다.

인도자 우리가 색칠한 성경은 하나님의 편지예요. 이 편지는 하나님이 예수님을 사랑하는 사람을 모두 하나님의 아들, 딸로 부르셨다고 말해요. 그리고 하나님은 예수님을 사랑하는 사람에게 성령님을 주신다고 약속하셨어요. 이 세상 어느 것도 우리를 향한 하나님의 사랑을 막을 수 없어요. **성령님은 우리가 하나님을 사랑하도록 도우세요.**

영차, 영차 — 대그룹

찢을 수 있을까?

준비물 ▶ 신문지, 하트 모양 펠트지 조각(인원수대로)

❶ 아이들에게 신문지를 한 장씩 주고, 자유롭게 찢게 한다.

❷ 찢은 신문지를 공중에 뿌리며 놀게 한다.

❸ 펠트지 조각을 나누어 주고 반으로 찢어 보게 한다.

❹ 아이들이 펠트지를 찢기 힘들어 할 때 "하나님의 사랑에서 갈라 놓을 수 없어요!"라고 말해 준다.

인도자 신문지를 찢을 수 있나요? 아주 쉽게 찢을 수 있었어요. 펠트지는 찢을 수 있었나요? 찢어지지 않았어요! 펠트지처럼 이 세상 어느 것도 우리를 하나님의 사랑에서 찢어 놓을 수 없어요. 하나님은 예수님을 사랑하는 사람에게 성령님을 주세요. 그리고 우리를 하나님의 자녀가 되게 해 주셨어요. 하나님과 우리는 떨어질 수 없어요! **성령님은 우리가 하나님을 사랑하도록 도우세요.**

소곤소곤 꿀~꺽 간식

준비물 ▶ 꿀떡, 보리차, 접시, 컵

❶ 아이들에게 주변을 정리하게 하고, 화장실에 가거나 물티슈 등을 이용해 손을 씻을 시간을 준다.

❷ 감사 기도를 드리고 꿀떡과 보리차를 간식으로 나누어 준다. 엄마, 아빠가 우리를 꿀떡처럼 달콤하게 부르듯이, 하나님도 우리를 달콤하게 부르신다고 말해 준다.

신나는 마무리

준비물 ▶ 영유아부 교재 13쪽 활동지, 37쪽 메시지 카드, 42쪽 '이야기 성경' 스티커

❶ 활동지와 스티커, 메시지 카드를 나누어 주고 가족과 함께 오늘 배운 성경 이야기를 기억하라고 격려하며 가방을 정리해 준다.

가족과 활동해요

- '이야기 성경' 스티커를 붙이며 말씀을 기억해요.
- 다양한 인형과 소꿉놀이 장난감을 이용해 가족 구성원의 역할을 함께 이야기해 보세요.
- 가족들이 서로에게 사랑의 언어와 행동을 표현해 보세요("사랑해요!" 말하기, 안아 주기, 뽀뽀하기 등).

❷ 축복과 파송의 메시지를 담은 찬양을 부르며 인사한다.

❸ 아이를 데리러 온 보호자에게 아이가 특별히 즐거워했거나 잘했던 활동들에 대해 이야기해 주고, 가정에서 활동지와 스티커, 메시지 카드를 활용해 말씀을 들려주도록 격려한다.

7

마음을 새롭게 해 변화를 받아요

(롬 12:1~18; 고전 1:9; 빌 1:3~7)

가스펠 포인트

그리스도인은 예수님을 사랑하며 예수님께 순종해요.
하나님은 그리스도인 한 사람, 한 사람을 위한 특별한 계획을 가지고 계세요.
하나님은 그리스도인 한 사람, 한 사람이 하나님의 계획을 이루도록 도우세요.

단원 주제

성령님은 우리가 하나님을 사랑하도록 도우세요.

단원 암송

새 사람이 되었어요(고후 5:17).

본문 속으로

바울의 편지들은 대부분 같은 전개를 따릅니다. 편지의 첫 부분에는 복음의 중요한 진리에 집중합니다. 다음으로 그 진리가 우리의 일상생활을 어떻게 만들며, 우리가 어떻게 살아가야 하는지 설명합니다. 복음으로 인한 삶의 변화를 설명하는 것입니다.

바울은 로마서 11장까지 복음에 대해 설명하고, 마지막 다섯 장에서는 그 복음이 우리를 어떻게 변화시키는가에 대해 집중적으로 다룹니다. 로마서 12장 1~2절은 이 두 부분을 연결하는 고리입니다. 바울은 성도들에게 하나님의 긍휼을 명심하라고 촉구합니다. 은혜와 긍휼이 많고 선하신 하나님은 예수님을 보내 우리의 죗값을 대신 치르게 하셨습니다. 그리고 우리를 하나님의 가족이 되게 하셨습니다.

그 후에 바울은 복음이 우리에게 어떤 영향을 미치는지 요약하며 기대하게 합니다. 우리는 하나님을 기쁘시게 하는 산 제물이 되어야 합니다. 어떻게 그렇게 될 수 있을까요? 답은 로마서 12장 2절에 있습니다. 마음을 새롭게 함으로 변화를 받아야 합니다. 성령님에 의해 변화를 받아 마음이 새로워지면, 무엇이 하나님을 기쁘시게 하는지, 하나님의 뜻이 무엇인지를 깨닫게 됩니다. 복음은 먼저 우리의 마음과 생각을 바꿉니다. 그리고 결과적으로 우리의 삶을 바꿉니다. 이것이 우리가 하나님을 기쁘시게 하고 영화롭게 하는 방법입니다.

●● 티칭 포인트

아이들을 가르칠 때, 복음으로 삶이 변화되는 것이 얼마나 중요한지 일깨워 주십시오. 자신의 노력으로는 하나님을 기쁘시게 할 수 없을 뿐만 아니라 하나님도 그것을 원하지 않으십니다. 복음을 의지하는 것이 무엇인지, 그리스도 예수 안에서 새롭게 되는 것이 어떤 의미인지 아이들이 깨달을 수 있도록 도와주십시오. 그리고 성령님이 아이들의 생각과 마음과 행동을 인도하신다는 것이 어떤 의미인지 설명해 주십시오. 하나님이 우리의 마음을 변화시키시는 방법 중 하나는 하나님의 말씀을 읽는 것입니다. 아울러 이번 주에 아이들이 성경을 읽는 시간을 갖도록 격려해 주십시오.

이야기 성경

마음을 새롭게 해 변화를 받아요

롬 12:1~18; 고전 1:9; 빌 1:3~7

바울은 하나님이 성도들이 서로 사랑하고 예수님을 사랑하기를 바라신다고 말했어요. 하나님을 사랑하는 사람이 하나님을 사랑하지 않는 사람과 똑같은 모습으로 살까요? 아니에요. 바울은 로마 성도들에게 그리스도인이 어떻게 살아야 하는지를 편지에 써서 알려 주었어요. 바울은 이렇게 말했어요.

"사랑하는 여러분, 하나님은 친절하시고 우리가 죄인인데도 사랑하십니다. 그러니 하나님이 기뻐하시는 삶을 사십시오. 성령님이 여러분 안에 계십니다. 성령님이 여러분의 생각과 행동을 바꾸시게 하십시오. 성령님은 올바르게 사는 법을 알려 주실 것입니다.

모든 그리스도인은 저마다 다르다는 점을 기억하십시오. 하나님은 우리에게 각각 다른 선물을 주셨고, 우리를 위한 특별한 계획을 가지고 계십니다. 어떤 사람은 예수님에 관해 가르치고, 어떤 사람은 교회를 섬깁니다. 어떤 사람은 슬프거나 아픈 사람을 돕습니다. 우리는 모두 함께 일합니다. 우리는 주 안에서 한 가족이기 때문입니다.

예수님을 사랑하는 사람은 모두 가족이나 마찬가지입니다. 누가 기뻐하면 함께 기뻐하십시오. 누가 슬퍼하면 함께 슬퍼하십시오. 가능한 한 서로 사이좋게 지내십시오. 우리는 서로를 사랑하고, 서로를 도우며, 서로를 위해 기도할 수 있습니다."

나중에 바울은 로마에 있는 감옥에 갇혔어요. 그곳에서 바울은 빌립보 성도들에게 편지를 썼어요. 바울은 하나님이 성도들의 삶 속에서 일하고 계셔서 기뻤어요. 빌립보 성도들은 바울에게 돈을 보내거나 그를 위해 기도하며 도와주었어요. 바울은 그들이 예수님을 닮아 가도록 변화시켜 주시는 성령님께 감사드렸어요.

●● 예수님 생각하기

하나님은 우리가 서로를 아끼고 사랑하기를 바라세요. 그리스도인들은 모두 하나님의 가족이에요. 예수님은 우리를 하나로 만드세요. 성령님은 하나님이 우리를 사랑하시듯이 우리가 서로 사랑하도록 우리의 생각과 삶을 변화시키세요.

가스펠 준비

싱글벙글 — 환영해요

USB

"성령의 열매"(지도자용 팩)을 튼다. 아이들을 반갑게 맞이하며 헌금과 기도를 도와준다. 예배 중에 헌금 순서가 있다면 헌금을 잘 간수하도록 돕는다. 가방과 옷을 정리하도록 안내한다. 새로 온 아이에게는 음수대와 화장실의 위치를 알려 주고, 보호자와 만나는 시간과 방법 등을 소개한다. 보호자를 위한 안내문을 붙여 끝나는 시간, 기다리는 장소, 헌금 방법, 아이에 대한 특별한 주의 사항을 교사에게 미리 알려 달라는 당부 등을 공지한다.

너랑 나랑 — 마음 열기

아이들이 편안하고 친숙하게 하나님께 마음을 열고, 하나님을 알아 가도록 돕는 놀이 환경을 제공한다. 흥미를 유발할 수 있는 놀잇감으로 자유 놀이 영역을 구성한다. 단원별 공통 활동에 각 과의 주제와 연결된 활동 영역을 추가하여 아이들이 자유롭게 선택하게 한다. 충분히 활동할 수 있도록 20분 정도 할애하는 것이 좋다.

고리 연결하기

준비물 ▶ 길게 자른 색 도화지 여러 장, 셀로판테이프, 매직

❶ 길게 자른 색 도화지를 아이들에게 하나씩 나누어 주고, 아이들 이름을 써 준다.

❷ 색 도화지를 동그랗게 말아 고리 모양을 만들어 보여 준 뒤, 이 고리에 계속 고리를 이어나갈 것이라고 설명하고, 아이들이 한 명씩 차례로 새 도화지를 끼우게 한 뒤 양쪽 끝을 붙여 새로운 고리를 이어 만들게 한다.

❸ 길게 연결된 고리를 살펴보게 한다.

인도자 하나님은 우리 모두를 다르게 만드셨어요. 그리고 우리 한 사람 한 사람을 위한 특별한 계획을 가지고 계세요. 이 고리처럼 우리도 함께 손을 잡아 볼까요? 우리는 모두 하나님 안에서 하나랍니다. 이렇게 고리가 서로 연결된 것처럼 우리도 하나님 안에서 서로 사랑하고 한마음으로 하나가 되어야 해요.

헌것과 새것 비교하기

준비물 ▶ 낡은 물건(구멍 난 양말, 고장 난 장난감, 오래된 프라이팬), 새 물건(새 양말, 새 장난감, 새 프라이팬)

❶ 아이들에게 낡은 물건과 새 물건을 관찰하게 한다.

❷ 어떤 부분이 다른지, 어떤 것이 더 마음에 드는지 물어본다.

❸ 인도자가 같은 종류의 낡은 물건과 새 물건을 각각 들고 "코는 어디 있나?"에 맞춰 아이들에게 질문한다.
예) "새것은 어디 있나? (요기) / 헌것은 어디 있나? (요기)"

tip 아이들이 직접 노래를 부르며 물어보게 해도 좋다.

인도자 구멍 난 양말과 새 양말 중에 어떤 걸 갖고 싶나요? 오래 가지고 놀아서 고장 난 장난감과 새 장난감 중에 어떤 걸 가지고 놀고 싶나요? 엄마에게 낡은 프라이팬과 새 프라이팬 중 어떤 걸 선물로 주고 싶나요? 맞아요! 헌것보다는 새것이 좋아요. 그런데 하나님이 우리를 모두 새롭게 바꾸어 주신대요. 어떻게 그럴 수 있을까요? 성경 이야기를 잘 들어 보아요.

가스펠 설교 대형으로 모이기

- 카운트다운 영상, 모이기 노래 등을 활용해 설교 대형으로 바꾸고 마음을 준비하게 한다.

가스펠 설교

하나 — 성경 이야기

tip

- 청진기와 성경 활용하기 : "어떤 사람은 예수님에 대해 가르치칩니다"라는 부분에서 성경을 보여 주고, "어떤 사람은 슬프거나 병든 사람을 돌봅니다"라는 부분에서 청진기를 귀에 꽂는다.

USB

아이들에게 성경을 나눠 주고 펼치게 한다. 제목을 말하고, 성경 본문의 핵심 부분을 읽어 준다. 말씀 듣기 시간을 알려 주는 찬양을 부른 후 성경 이야기를 읽어 주거나 설교 영상(지도자용 팩)을 보여 준다.

모든 사람은 잘못을 저지르고 하나님께 불순종해요. 우리가 예수님께 우리 잘못을 용서해 달라고 기도하면 예수님은 우리를 용서해 주세요! 그리고 우리는 예수님을 따르는 사람이 되어요. 바울은 그리스도인들에게 말했어요. "여러분은 예수님을 따르는 사람입니다. 그러니 하나님이 기뻐하시는 모습으로 사십시오. 하나님은 우리 한 사람, 한 사람을 위한 특별한 계획을 가지고 계십니다. 어떤 사람은 예수님에 대해 가르칩니다. 어떤 사람은 교회를 섬깁니다. 어떤 사람은 슬프거나 병든 사람을 돌봅니다. 서로 사랑하고 서로 도우십시오. 서로를 위해 기도하십시오. 여러분을 부르신 하나님이 여러분을 위해 계획하신 일을 여러분이 모두 해내도록 도우실 것입니다."

둘 — 가스펠 포인트

그리스도인은 예수님을 사랑하며 예수님께 순종해요.
하나님은 그리스도인 한 사람, 한 사람을 위한 특별한 계획을 가지고 계세요.
하나님은 그리스도인 한 사람, 한 사람이 하나님의 계획을 이루도록 도우세요.

"우리 모두 다 함께" 곡에 맞춰 다음 가사로 노래를 부르며 메시지를 정리한다.

♪

하나님은 성령님을 보내서 [짝짝!]
우리가 예수님을 사랑하고 [짝짝!]
우리가 친구에게 예수님을 전하게
성령님은 우리를 도우셔! [짝짝!]

성령님은 우리가 하나님을 사랑하도록 도우세요. 하나님은 그리스도인 한 사람, 한 사람이 하나님의 계획을 이루도록 도우세요.

셋 — 복음 초청

성경과 복음 초청 가이드(65쪽)를 이용해서 아이들에게 그리스도를 소개한다.

예수님을 믿고 싶은 친구는 함께 기도해요.

넷 — 기도

예수님을 믿는 우리에게 특별한 계획을 갖고 계신 하나님 감사합니다. 예수님 이름으로 기도합니다. 아멘.

다섯 — 암송송

2단원 암송송(136쪽)을 손유희와 함께 부르거나, 일부 구절 또는 간단하게 줄인 문장을 활용할 수 있다.

"그런즉 누구든지 그리스도 안에 있으면 새로운 피조물이라 이전 것은 지나갔으니 보라 새것이 되었도다"(고후 5:17).

"새 사람이 되었어요."

가스펠 활동

알콩달콩 — 소그룹

내가 달라졌어요

준비물 ▶ 영유아부 교재 16쪽, 31쪽 '달라진 그림', 풀

❶ 각 그림을 보고, 어떤 상황인지 무엇이 어떻게 달라져야 하는지 이야기해 본다.

❷ 영유아부 교재 31쪽 '달라진 그림'을 떼어 달라진 모습을 붙인 후 달라진 모습을 비교해 보게 한다. 변화는 달라지는 것이라고 말해 준다.

인도자 우리가 예수님을 따르면 하나님은 우리에게 성령님을 주세요. 성령님은 우리를 변화시키세요. 하나님이 기뻐하시는 일을 하게 만드시고, 그 일을 할 수 있는 능력도 주세요. **성령님은 우리가 하나님을 사랑하도록 도우세요.**

USB

예수님 옆에 딱 붙어요

준비물 ▶ 200ml 우유 팩, 납작한 냉장고 자석, '아이들', '예수님' 그림(지도자용 팩), 클립, 셀로판테이프

❶ 200ml 우유 팩의 윗부분을 납작하게 눌러 셀로판 테이프로 고정한 뒤 이 부분이 바닥에 닿도록 뒤집어 둔다.

❷ 우유 팩 4면에 냉장고 자석을 붙이고 그 위에 '예수님' 그림(지도자용 팩)을 잘라 붙여 둔다.

❸ '아이들' 그림(지도자용 팩)을 잘라 아이들에게 나눠 주고, 그림 뒷면에 셀로판테이프로 클립을 붙이게 한다.

❹ '아이들'을 '예수님'의 4면에 붙였다 떼었다 해 보게 한다.

인도자 예수님 가까이 가면 아이들이 예수님에게 딱 달라붙었어요. 예수님을 믿고 따르면 우리도 이처럼 예수님 곁에 딱 붙어 있게 돼요. 이렇게 우리가 예수님 곁에 붙어 있으면 **성령님은 우리가 하나님을 사랑하도록 도우세요.**

영차, 영차 대그룹

도움의 손길이 나타났어요!

준비물 ▶ 성인 한 명을 덮을 만한 담요 또는 천

❶ 인도자가 '예수님'이 되어 예배실을 돌아다닌다. 다른 교사 한 명은 '성령님'이 되어 담요를 뒤집어쓰고 구석에 숨어 있는다.

❷ 아이들에게 예수님에게서 멀리 떨어져 돌아다니다가 성령님이 담요를 벗고 "짠!"이라고 외치면 "예수님만 따를래요!"라고 외치며 예수님에게 붙어야 한다고 알려 준다.

❸ '성령님'은 담요 속에 숨었다가 나타나기를 반복한다.

인도자 그리스도인은 예수님을 사랑하며 예수님께 순종해요. 하나님은 우리가 힘을 모아 하나님의 계획을 이루길 바라세요. 그 계획은 예수님을 따라 살 때 이루어져요. **성령님은 우리가 하나님을 사랑하도록 도우세요.**

소곤소곤 꿀~꺽 간식

준비물 ▶ 생고구마, 찐 고구마, 우유, 접시, 컵

❶ 아이들에게 주변을 정리하게 하고, 화장실에 가거나 물티슈 등을 이용해 손을 씻을 시간을 준다.

❷ 감사 기도를 드리고 고구마와 우유를 간식으로 나누어 준다. 생고구마를 먼저 조금 맛보게 한 뒤 찐 고구마를 먹게 한다. 생고구마보다 찐 고구마가 더 달콤하고 맛있으며, 우리도 찐 고구마처럼 이전보다 더 멋지게 예수님을 닮아 가는 아이가 되자고 말한다.

신나는 마무리

준비물 ▶ 영유아부 교재 15쪽 활동지, 37쪽 메시지 카드, 42쪽 '이야기 성경' 스티커

❶ 활동지와 스티커, 메시지 카드를 나누어 주고 가족과 함께 오늘 배운 성경 이야기를 기억하라고 격려하며 가방을 정리해 준다.

가족과 활동해요

- '이야기 성경' 스티커를 붙이며 말씀을 기억해요.
- 가족이 함께 '간식 봉지'를 만들어 보세요. 지퍼백에 사탕 또는 과일, 음료수 등을 담아 예쁘게 포장하는 거예요. 완성한 간식 봉지를 친구들에게 나누어 주세요.
- 가족들의 손에 서로 하트 스티커를 붙이며 "사랑해요!"라고 말해 보세요.

❷ 축복과 파송의 메시지를 담은 찬양을 부르며 인사한다.

❸ 아이를 데리러 온 보호자에게 아이가 특별히 즐거워했거나 잘했던 활동들에 대해 이야기해 주고, 가정에서 활동지와 스티커, 메시지 카드를 활용해 말씀을 들려주도록 격려한다.

8
성령의 열매를 맺어요

[갈 5:16~26]

가스펠 포인트

하나님은 예수님을 사랑하는 사람에게 성령님을 주세요.
성령님은 우리가 하나님을 사랑하도록 도우세요.
성령님은 우리가 예수님을 닮아 가도록 도우세요.

단원 주제

성령님은 우리가 하나님을 사랑하도록 도우세요.

단원 암송

새 사람이 되었어요(고후 5:17).

본문 속으로

예수님을 믿을 때 우리는 하나님의 자녀가 되고 복음은 우리를 변화시킵니다. 생각이 바뀌면 하나님이 무엇을 기뻐하시는지, 하나님의 뜻이 무엇인지 알게 됩니다. 그러나 복음으로 인한 변화는 그 정도에 머물지 않습니다. 복음은 우리의 삶을 변화시킵니다.

바울은 갈라디아 교회의 성도들에게 보내는 편지에서 육체의 열매를 묘사했습니다. 그것은 그리스도를 떠난 사람의 모습을 말합니다. 분노, 시기, 이기심, 부도덕, 분쟁과 같은 것들입니다. 바울은 이렇게 사는 사람은 하나님 나라에 들어가지 못한다고 말했습니다. 이런 행동들을 보면 그 사람의 마음이 어떤 상태인지 알 수 있습니다. 이런 행동들은 죄가 가득한 마음에 맺히는 열매입니다.

그런 다음 바울은 갈라디아 교회의 성도들에게 하나님이 사람들의 삶 속에서 일하시는 것을 알아보는 방법을 알려 줍니다. 그는 육체의 열매와 성령의 열매를 대조해 설명합니다. 성령의 열매는 그리스도 안에 있는 사람의 모습입니다. 사랑, 희락, 화평, 오래 참음, 자비, 양선, 충성, 온유, 절제가 바로 그것들입니다. 이런 열매들은 그리스도로 인해 마음이 변화된 사람에게 맺힙니다.

●● 티칭 포인트

성령의 열매들은 우리 안에서 일하시는 성령님이 맺으시는 것이라고 아이들에게 설명해 주십시오. 그래서 '그리스도인의 열매'가 아니라 '성령의 열매'라고 부른다고 말해 주십시오.

성령의 열매에 대한 우리의 응답은 더 사랑하고 기뻐하고 평화롭게 지내고 친절을 베풀 방법을 찾아내는 것이 아닙니다. 그것은 이런 열매들을 우리 스스로 맺을 수 있다고 잘못 생각하는 것입니다! 예수님을 믿을 때 성령님이 우리를 변화시키기 시작하십니다. 우리는 성령님이 우리를 더 사랑하고 기뻐하며 온유하고 친절한 사람으로 변화시키시도록 응답해야 합니다. 구원받은 사람은 점점 더 예수님을 닮아 갑니다. 그리고 성령님은 우리가 죄를 거부하고 하나님이 기뻐하시는 모습으로 살아갈 수 있도록 능력을 주십니다. 성령의 열매는 복음으로 인한 진정한 변화를 보여 줍니다.

이야기 성경

성령의 열매를 맺어요

갈 5:16~26

바울이 갈라디아에 있는 성도들에게 편지를 썼어요. 바울은 하나님이 예수님을 믿는 사람을 변화시키신다고 말했어요. 하나님은 그들에게 성령님을 보내 주셔서 옳은 길로 인도하시고, 예수님을 닮아 가게 하세요. 성령님은 우리의 생각과 행동을 바꾸시고, 하나님이 원하시는 일을 하도록 이끄세요.

예수님이 없으면 죄가 우리를 다스려요. 잘못된 행동을 하게 돼요. 서로 다투고 문제를 만들지요. 예수님을 믿고 의지하지 않는 죄인들은 하나님 나라에 들어가지 못해요. 그러나 예수님을 믿고 의지하면 우리는 죄에서 자유로워져요. 죄가 더는 우리를 다스리지 못하고 성령님이 다스리시는 거예요. 또 성령님은 우리 안에 계셔서 옳은 일을 할 수 있는 힘을 주세요.

성령님이 다스리시는 사람은 사랑, 희락(기쁨), 화평(평화), 오래 참음, 자비(친절), 양선(착함), 충성(신실함), 온유(부드러움), 절제가 생겨요. 우리가 이렇게 살 때 하나님이 기뻐하세요. 이것을 '성령의 열매'라고 해요. 누군가의 삶에 성령의 열매가 보인다면 그가 하나님을 사랑한다는 것을 알 수 있어요. 건강한 나무는 좋은 열매를 맺고, 그리스도인은 성령의 열매를 맺어요.

성령의 열매를 맺는 삶은 쉽지 않아요. 하지만 성령님이 날마다 예수님을 닮아 가도록 우리를 도와주세요. 우리가 잘못된 행동을 하지 않고 하나님이 기뻐하시는 삶을 살게 해 주세요.

성령님은 우리가 슬픈 일이 생겼을 때도 기뻐하고 평안할 수 있도록 해 주세요. 오래 참게 하시고, 다른 사람에게 부드럽게 대할 수 있게 해 주세요. 우리의 생각과 행동, 말을 올바르게 인도해 주시지요. 하나님을 알면 알수록 성령님은 우리가 예수님을 더 많이 닮아 가게 하세요.

●● 예수님 생각하기

예수님을 믿고 의지할 때 성령님은 우리를 변화시키세요. 바울은 성령님이 어떻게 우리를 도와주시는지 알려 주었어요. 성령님은 우리의 마음을 바꾸어 하나님을 사랑하고 순종하도록 인도하세요.

가스펠 준비

싱글벙글 환영해요

USB

"성령의 열매"(지도자용 팩)을 튼다. 아이들을 반갑게 맞이하며 헌금과 기도를 도와준다. 예배 중에 헌금 순서가 있다면 헌금을 잘 간수하도록 돕는다. 가방과 옷을 정리하도록 안내한다. 새로 온 아이에게는 음수대와 화장실의 위치를 알려 주고, 보호자와 만나는 시간과 방법 등을 소개한다. 보호자를 위한 안내문을 붙여 끝나는 시간, 기다리는 장소, 헌금 방법, 아이에 대한 특별한 주의 사항을 교사에게 미리 알려 달라는 당부 등을 공지한다.

너랑 나랑 마음 열기

아이들이 편안하고 친숙하게 하나님께 마음을 열고, 하나님을 알아 가도록 돕는 놀이 환경을 제공한다. 흥미를 유발할 수 있는 놀잇감으로 자유 놀이 영역을 구성한다. 단원별 공통 활동에 각 과의 주제와 연결된 활동 영역을 추가하여 아이들이 자유롭게 선택하게 한다. 충분히 활동할 수 있도록 20분 정도 할애하는 것이 좋다.

자유 놀이 구성

- > 모래 놀이 > 성령의 공 던지기
- 소풍 놀이
- 글자 도장 찍기
- 키 재기
- 씨앗 셰이커 흔들기
- 마음 찾기
- 성경 읽기
- 과일과 씨앗 관찰하기

키 재기

USB

준비물 ▶ '키 재기 연대표'(지도자용 팩), A3 용지, 셀로판테이프, 줄자

❶ '키 재기 연대표'(지도자용 팩)를 A3 용지에 프린트해 예배실 벽에 붙인다.

❷ 아이들의 키를 한 명씩 재어 보고, 인도자의 키도 재어 본다.

❸ 줄자로 다양한 신체 부위(머리 둘레, 발바닥 길이, 팔 길이 등)를 재어 본다.

tip 벽에 붙일 공간이 없으면 아이들을 바닥에 눕혀 줄자로 키를 잴 수 있다.

인도자 사람은 날마다 키가 자라요. 하나님은 우리의 몸이 아닌 다른 것도 자라기를 원하세요. 어떤 것일까요? 오늘의 성경 이야기를 잘 들어 보아요.

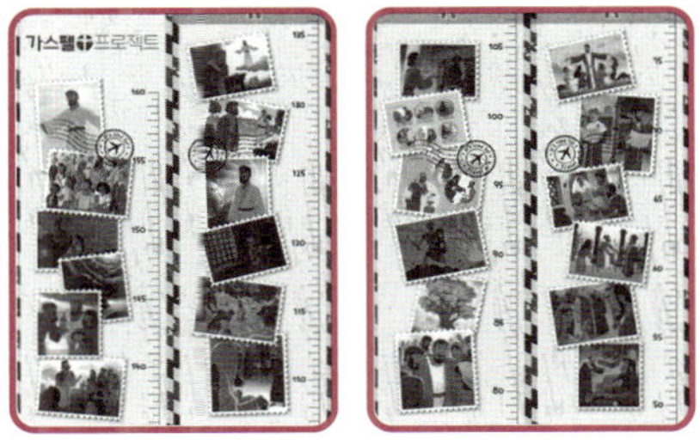

과일과 씨앗 관찰하기

준비물 ▶ 씨 있는 계절 과일 두 종류(사과, 감, 포도 등), 접시

❶ 씨앗이 있는 계절 과일을 반으로 잘라 접시에 놓고, 아이들과 함께 과일과 씨앗의 모양을 관찰한다.

tip 아이들에게 일회용 장갑을 끼우고 과일 표면과 씨앗을 만져 보게 해도 좋다

인도자 과일 안에 있는 씨를 땅에 심으면 어떤 열매가 맺힐까요? 사과 씨는 사과를, 수박 씨는 수박을 맺어요. 예수님을 따르는 사람들은 어떤 열매를 맺을까요? 오늘 성경 이야기를 잘 들어 보아요.

가스펠 설교 대형으로 모이기

• 카운트다운 영상, 모이기 노래 등을 활용해 설교 대형으로 바꾸고 마음을 준비하게 한다.

가스펠 설교

하나 — 성경 이야기

tip
• 성령의 열매 카드 활용하기 : 9가지 색의 종이에 9가지 열매를 적고, 구분하기 좋게 표정 그림을 그려 넣어 성령의 열매 카드를 만들어 한 장씩 벽에 붙이며 설명해 준다.

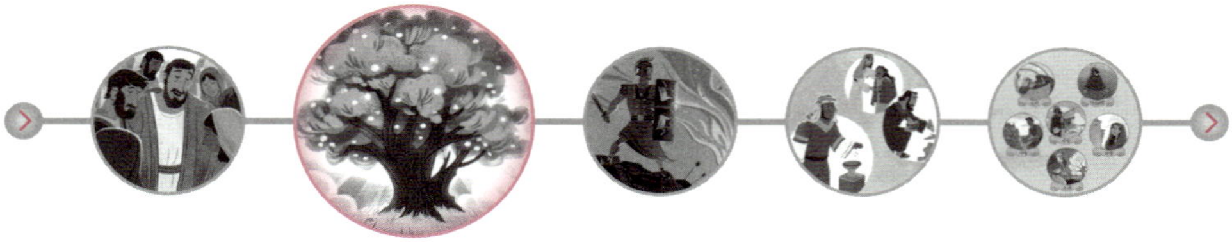

USB
아이들에게 성경을 나눠 주고 펼치게 한다. 제목을 말하고, 성경 본문의 핵심 부분을 읽어 준다. 말씀 듣기 시간을 알려 주는 찬양을 부른 후 성경 이야기를 읽어 주거나 설교 영상(지도자용 팩)을 보여 준다.

우리가 예수님께 잘못을 용서해 달라고 기도하면 예수님이 우리를 용서해 주세요! 그러면 우리는 예수님을 따르는 사람이 되는 거예요. 바울은 예수님이 따르는 사람들에게 편지를 써서, 나무가 자라서 열매를 맺듯이 우리도 점점 예수님을 닮아 가도록 성령님이 도와주신다고 말했어요. 성령님은 우리가 다른 사람을 사랑하도록 도우세요. 성령님은 우리에게 슬픈 일이 생겨도 기쁨과 평안을 누리도록 도우세요. 성령님은 우리에게 하나님의 도움을 기다리는 인내심을 주세요. 성령님은 우리가 다른 사람을 친절하게 대하도록 도우세요. 성령님은 우리가 착한 일을 하도록 도우세요. 성령님은 우리가 하나님처럼 약속을 지키도록 도우세요. 성령님은 우리가 생각, 행동, 말을 조심하도록 도우세요. 성령님의 도움으로 이렇게 예수님을 닮은 모습으로 살아가는 것을 '성령의 열매를 맺는다'고 해요.

둘 — 가스펠 포인트

하나님은 예수님을 사랑하는 사람에게 성령님을 주세요.
성령님은 우리가 하나님을 사랑하도록 도우세요.
성령님은 우리가 예수님을 닮아 가도록 도우세요.

"우리 모두 다 함께" 곡에 맞춰 다음 가사로 노래를 부르며 메시지를 정리한다.

하나님은 성령님을 보내서 [짝짝!]
우리가 예수님을 사랑하고 [짝짝!]
우리가 친구에게 예수님을 전하게
성령님은 우리를 도우셔! [짝짝!]

성령님은 우리가 하나님을 사랑하도록 도우세요. 성령님의 도우심으로 하나님은 그리스도인 한 사람, 한 사람이 하나님의 계획을 이루도록 도와주세요.

셋 — 복음 초청

성경과 복음 초청 가이드(65쪽)를 이용해서 아이들에게 그리스도를 소개한다.

예수님을 믿고 싶은 친구는 함께 기도해요.

넷 — 기도

성령님이 우리를 도와주셔서 감사합니다. 하나님을 사랑하고 예수님을 닮아 가는 우리가 되게 도와주세요. 예수님 이름으로 기도합니다. 아멘.

다섯 — 암송송

2단원 암송송(136쪽)을 손유희와 함께 부르거나, 일부 구절 또는 간단하게 줄인 문장을 활용할 수 있다.

"그런즉 누구든지 그리스도 안에 있으면 새로운 피조물이라 이전 것은 지나갔으니 보라 새것이 되었도다"(고후 5:17).

"새 사람이 되었어요."

알콩달콩 소그룹

예수님을 닮아 가요

준비물 ▶ 영유아부 교재 18쪽, 41쪽 '아이들' 스티커

❶ 예수님의 동작을 설명해 주며 각각의 성령의 열매를 하나씩 읽어 주고 따라 말하게 한다.

❷ 영유아부 교재 41쪽 '아이들' 스티커를 떼어 같은 동작을 하고 있는 예수님 옆에 붙이게 한다.

❸ '아이들'을 모두 붙이면, 예수님 발 아래 적힌 성령의 열매를 다시 한번 읽어 준다.

인도자 성령의 열매는 과일나무에 열리는 것이 아니에요. 성령의 열매는 만질 수도, 먹을 수도 없어요. 성령의 열매는 예수님을 따르는 사람에게서 나타나는 마음과 행동이에요. **성령님은** 성령의 열매가 우리 안에서 자라게 하시고, **우리가 하나님을 사랑하도록 도우세요.**

성령의 열매 나무를 만들어요

준비물 ▶ 도화지, 매직, 과일 향이 나는 다양한 모양의 시리얼

❶ 도화지에 매직으로 잎이 없는 나무를 그려 둔다.

❷ 과일 향이 나는 다양한 모양의 시리얼을 아이들에게 주고, 인도자에 말에 따라 하나씩 나무 위에 얹어 나뭇잎을 완성하게 한다.

인도자 성령의 아홉 가지 열매를 맺어 볼까요? 사랑, 희락, 화평, 오래 참음, 양선, 자비, 충성, 온유, 절제의 열매가 달렸어요! 바울은 나무가 자라서 열매를 맺듯이 우리가 예수님을 점점 닮아 가도록 성령님이 도와주신다고 말했어요. 성령의 열매를 맺는 거죠. **성령님은 우리가 하나님을 사랑하도록 도우세요.**

영차, 영차 — **대그룹**

성령님과 함께하면 이겨요

준비물 ▶ 줄 또는 보자기, 교사 1명 이상, 이름표 스티커, 사인펜

❶ 교사에게 '나쁜 마음'이라고 쓴 이름표 스티커를 붙인다.

❷ 아이들의 가슴에 성령의 열매가 적힌 이름표 스티커를 붙여 준다.

❸ '나쁜 마음' 편과 '성령의 열매' 편으로 나누어 줄다리기를 한다.

tip 교사는 아이들이 이길 수 있도록 힘을 조절한다.

인도자 우와! 줄다리기에서 나쁜 마음을 이겼어요! 성령의 열매를 갖고 있기 때문이에요. 성령님은 우리가 하나님을 사랑하도록 도우세요. 나쁜 마음은 성령님이 함께하시는 마음을 이길 수 없어요. 성령님께 "도와주세요!"라고 외치면 나쁜 마음을 이길 수 있어요. **성령님은 우리가 하나님께 순종하도록 도우세요.**

소곤소곤 꿀~꺽 간식

준비물 ▶ '알콩달콩 소그룹 – 성령의 열매 나무를 만들어요'에서 사용한 시리얼, 우유, 접시, 숟가락

❶ 아이들에게 주변을 정리하게 하고, 화장실에 가거나 물티슈 등을 이용해 손을 씻을 시간을 준다.

❷ 감사 기도를 드리고 '알콩달콩 소그룹 - 성령의 열매 나무를 만들어요'에서 사용한 시리얼과 우유를 간식으로 나누어 준다. '성령의 열매 나무를 만들어요' 활동을 기억하며 우리 마음에도 성령의 열매가 맺히도록 함께 기도하고 간식을 먹게 한다.

신나는 마무리

준비물 ▶ 영유아부 교재 17쪽 활동지, 39쪽 메시지 카드, 42쪽 '이야기 성경' 스티커

❶ 활동지와 스티커, 메시지 카드를 나누어 주고 가족과 함께 오늘 배운 성경 이야기를 기억하라고 격려하며 가방을 정리해 준다.

가족과 활동해요

- '이야기 성경' 스티커를 붙이며 말씀을 기억해요.
- 가족과 둥그렇게 앉아 음악이 흐르는 동안 옆 사람에게 과일을 전달하는 놀이를 해 보세요. 음악이 멈추면 과일을 들고 있는 사람을 안아 주세요.
- 아이들에게 우리 가족을 서로 사랑하도록 성령님이 도와주신다고 말해 주세요. 그리고 더욱더 예수님을 닮는 가족이 되게 해 달라고 함께 기도하세요.

❷ 축복과 파송의 메시지를 담은 찬양을 부르며 인사한다.

❸ 아이를 데리러 온 보호자에게 아이가 특별히 즐거워했거나 잘했던 활동들에 대해 이야기해 주고, 가정에서 활동지와 스티커, 메시지 카드를 활용해 말씀을 들려주도록 격려한다.

9

하나님의 전신 갑주를 입어요

(엡 6:10~19)

가스펠 포인트

예수님을 위해 사는 것이 항상 쉽지는 않아요.
하나님은 우리를 강하게 해 주세요.
하나님은 하나님의 말씀과 능력으로 우리를 도우세요.

단원 주제

성령님은 우리가 하나님을 사랑하도록 도우세요.

단원 암송

새 사람이 되었어요(고후 5:17).

본문 속으로

바울은 예수님을 따르는 일이 힘들다는 것을 잘 알았습니다. 다메섹으로 가는 길에 예수님을 만난 후 그의 인생은 완전히 뒤바뀌었고, 이전과 전혀 다른 사람이 되었습니다. 바울은 회심 전에 그토록 부정하고 저항했던 복음을 전파하기 위해 고군분투했습니다. 그는 고난을 겪는 데 남은 생을 바쳤습니다.

에베소 성도들에게 편지를 쓸 당시 바울은 감옥에 있었습니다. 그는 성도의 삶이 전투라는 사실을 몸소 체험한 사람이었습니다. 그것도 현재진행형 전투였습니다. 하지만 바울은 그 전투가 자신을 투옥시킨 로마인이나 복음에 반대하는 사람들을 상대하는 것이라고 생각하지 않았습니다. 인생은 악과의 전투입니다.

바울은 편지 말미에서 악과의 영적 전쟁에서 어떤 준비를 해야 하는지를 로마 군인의 갑옷에 빗대어 설명했습니다. 그리스도인은 어디를 가든지 하나님의 진리, 의, 평화를 지녀야 합니다. 마찬가지로 믿음, 구원, 하나님의 말씀을 굳게 붙들어야 합니다. 이러한 하나님의 갑옷으로 완전히 무장한다면 우리는 어떤 전투도 능히 치를 준비가 된 것입니다.

바울은 성도들에게 하나님의 갑옷을 입을 뿐만 아니라 항상 기도할 것을 촉구했습니다. 그는 아무리 하나님의 갑옷을 잘 갖추어 입는다고 해도 우리를 보호하시고 전쟁에서 승리하게 하시는 분은 하나님이심을 믿어야 한다는 것을 알려 주고 싶었습니다.

●● 티칭 포인트

아이들에게 악과 맞서 싸울 수 있도록 하나님이 주신 것이 무엇인지 알려 주십시오. 하나님은 결코 우리가 자신의 힘으로 싸우기를 바라지 않으십니다. 하나님의 힘을 의지하기를 바라십니다. 인생은 어려울 수 있고 늘 악에 맞서 싸울 준비를 해야 합니다. 그러나 예수님이 죽음과 부활로 이미 그 전쟁에서 승리하셨기 때문에 우리가 결국 승리할 것임을 아이들에게 설명해 주십시오.

※ '악'이란 '하나님을 반대하는 모든 것'이라고 정의해 주세요. 아이들의 나이를 염두에 두고 가르치세요. 아이들에게 겁을 주지 않도록 조심하세요. 오히려 겁이 날 때 하나님을 의지하라고 가르치세요. 하나님이 우리를 악으로부터 지키시기 때문에 두려워할 필요가 없다는 점을 아이들에게 강조해 주세요.

이야기 성경

하나님의 전신 갑주를 입어요

엡 6:10~19

바울은 감옥에 있었어요. 그러나 바울은 에베소 교회 성도들의 믿음이 강해지기를 바라는 마음으로 그들에게 편지를 썼어요. 바울은 예수님을 따르는 것은 싸우는 것과 같다고 말했어요. 선과 악의 전투 말이에요. 하나님은 예수님을 믿는 사람들에게 악과 싸우기 위해 필요한 모든 것을 주세요.

바울은 "하나님의 전신 갑주를 입으십시오. 싸울 준비를 하십시오"라고 말했어요. 그러면서 "'진리'의 허리띠를 매십시오"라고 했어요. 하나님은 자신이 어떤 분이신지 성경을 통해 우리에게 알려 주셨어요.

바울은 계속해서 말했어요. "'의'의 호심경을 가슴에 붙이십시오." 예수님을 믿을 때 하나님은 우리에게 의를 주세요. 그런 다음 바울은 "신발을 신듯 늘 '복음을 전할 준비'가 되어 있어야 합니다"라고 말했어요. 우리는 언제든지 예수님에 관한 기쁜 소식인 복음을 전할 준비가 되어 있어야 해요. 바울은 "어디를 가든지 '믿음'을 가지십시오. 믿음은 방패와 같습니다. 믿음이 여러분을 보호할 것입니다"라고 했어요. 사탄은 우리가 하나님을 의심하거나 진리가 아닌 것을 믿기를 바라지요. 그러나 하나님은 우리가 하나님을 온전히 믿도록 믿음을 주세요.

바울은 덧붙여서 "'구원'의 투구를 쓰고, '하나님의 말씀'인 검을 가지십시오"라고 말했어요. 투구는 머리를 보호해요. 우리는 하나님이 우리를 구원하셨다는 사실을 기억해야 해요! 그리고 성경은 우리에게 진리를 알려 주어요. 마지막으로 바울은 "'기도'하십시오. 하나님의 백성을 위해, 그리고 저를 위해 기도해 주십시오. 두려움 없이 복음을 전하고 하나님이 도와주시도록 말이에요"라고 말했어요.

●● 예수님 생각하기

하나님은 악과 맞서 싸우기 위해 필요한 것을 우리에게 주세요. 우리는 날마다 악과 영적 전쟁을 치러요. 악과 맞서 싸우기 위해서는 하나님이 주신 전신 갑주를 입어야 해요. 하지만 우리는 예수님이 이미 우리를 위해 이 싸움에서 이기셨다는 것을 알고 있어요. 예수님은 십자가에서 죽으시고 살아나심으로 악과의 전쟁에서 이기셨어요.

싱글벙글 환영해요

USB

“성령의 열매”(지도자용 팩)을 튼다. 아이들을 반갑게 맞이하며 헌금과 기도를 도와준다. 예배 중에 헌금 순서가 있다면 헌금을 잘 간수하도록 돕는다. 가방과 옷을 정리하도록 안내한다. 새로 온 아이에게는 음수대와 화장실의 위치를 알려 주고, 보호자와 만나는 시간과 방법 등을 소개한다. 보호자를 위한 안내문을 붙여 끝나는 시간, 기다리는 장소, 헌금 방법, 아이에 대한 특별한 주의 사항을 교사에게 미리 알려 달라는 당부 등을 공지한다.

너랑 나랑 마음 열기

아이들이 편안하고 친숙하게 하나님께 마음을 열고, 하나님을 알아 가도록 돕는 놀이 환경을 제공한다. 흥미를 유발할 수 있는 놀잇감으로 자유 놀이 영역을 구성한다. 단원별 공통 활동에 각 과의 주제와 연결된 활동 영역을 추가하여 아이들이 자유롭게 선택하게 한다. 충분히 활동할 수 있도록 20분 정도 할애하는 것이 좋다.

도와주기

❶ 인도자가 아이들에게 “도와줄래요?” 하고 물은 후, 자원하는 아이에게 도움이 필요한 내용을 알려 준다.

예) 물건 나르기, 일으켜 주기, 종이에 동그라미 많이 그리기 등.

❷ 아이들이 부탁한 것을 도와주면, “도와줘서 고마워요”라고 말한다.

tip 아이들이 서로 도움을 청하고 도와주게 해도 좋다.

인도자 여러분이 도와줘서 일이 훨씬 쉬워졌어요. 서로 돕는 것은 참 좋은 거예요. 그런데 우리에게 도움이 필요한 부분이 또 있어요. 게다가 그 도움은 하나님만 주실 수 있어요. 하나님이 어떻게 우리를 도우실까요? 함께 성경 이야기를 들어 보아요.

USB

전신 갑주 그림 보여 주기

준비물 ▶ A4 용지, '전신 갑주' 그림(지도자용 팩)

❶ A4 용지에 '전신 갑주' 그림(지도자용 팩)을 프린트해 둔다.

❷ 아이들에게 '전신 갑주'를 보여 주며, 무엇인지 이야기를 나눈다.

인도자 신기하게 생긴 물건들이지요? 옛날에는 이런 것들을 몸에 입거나 차고 싸우러 나갔대요. 이것을 전신 갑주(갑옷)라고 해요. 오늘날 예수님을 믿는 사람도 갑옷을 입는대요. 어떤 갑옷일까요? 성경 이야기를 잘 들어 보아요.

가스펠 설교 대형으로 모이기

- 카운트다운 영상, 모이기 노래 등을 활용해 설교 대형으로 바꾸고 마음을 준비하게 한다.

가스펠 설교

하나 — 성경 이야기

tip

• 알맞은 모자 맞추기 : 소방관, 경찰, 수영선수, 야구선수, 요리사 그림과 실제 모자를 준비한다. 아이들에게 각자 맞는 모자를 맞추게 한 후, 하나님의 군인이 쓰는 모자도 있다고 말하며 이야기를 시작한다.

USB

아이들에게 성경을 나눠 주고 펼치게 한다. 제목을 말하고, 성경 본문의 핵심 부분을 읽어 준다. 말씀 듣기 시간을 알려 주는 찬양을 부른 후 성경 이야기를 읽어 주거나 설교 영상(지도자용 팩)을 보여 준다.

바울은 에베소 교회에 보내는 편지에서 예수님을 위해 사는 삶이 때로는 전투와 같다고 말했어요. 전투하러 나가는 군인은 반드시 갑옷을 입어요. 바울은 하나님의 갑옷에 관해 이야기했어요. 바울이 말했어요. "하나님은 우리가 맞서 싸울 수 있게 도우십니다. 예수님에 관한 진리를 가까이하십시오. 예수님의 거룩함(의)으로 여러분의 마음을 지키십시오. 여러분의 발은 하나님이 보내시는 곳 어디든지 가서 예수님을 전할 준비가 되어 있어야 합니다. 하나님의 말씀을 의지해 무엇이 참인지 알아야 합니다. 예수님이 여러분을 구원하기 위해 하신 일을 항상 기억하십시오. 하나님의 말씀을 알고 그 말씀을 사용하십시오! 언제나 기도하십시오. 다른 그리스도인들을 위해 기도하고, 좋은 소식을 전하는 선생님들을 위해 기도하십시오.

둘 — 가스펠 포인트

예수님을 위해 사는 것이 항상 쉽지는 않아요.
하나님은 우리를 강하게 해 주세요.
하나님은 하나님의 말씀과 능력으로 우리를 도우세요.

"우리 모두 다 함께" 곡에 맞춰 다음 가사로 노래를 부르며 메시지를 정리한다.

하나님은 성령님을 보내서 [짝짝!]
우리가 예수님을 사랑하고 [짝짝!]
우리가 친구에게 예수님을 전하게
성령님은 우리를 도우셔! [짝짝!]

예수님을 위해 사는 것이 항상 쉽지는 않아요. 그러나 **성령님은 우리가 하나님을 사랑하도록 도우세요.** 하나님은 하나님의 말씀과 능력으로 우리를 도우세요.

셋 — 복음 초청

성경과 복음 초청 가이드(65쪽)를 이용해서 아이들에게 그리스도를 소개한다.

예수님을 믿고 싶은 친구는 함께 기도해요.

넷 — 기도

하나님, 예수님을 위해 살아갈 때 갑옷 입은 군인처럼 잘 준비하게 해 주세요. 말씀과 기도로, 복음과 믿음으로 잘 준비하고 예수님만 의지하게 해 주세요. 예수님 이름으로 기도합니다. 아멘.

다섯 — 암송송

2단원 암송송(136쪽)을 손유희와 함께 부르거나, 일부 구절 또는 간단하게 줄인 문장을 활용할 수 있다.

"그런즉 누구든지 그리스도 안에 있으면 새로운 피조물이라 이전 것은 지나갔으니 보라 새것이 되었도다"(고후 5:17).

"새 사람이 되었어요."

알콩달콩 소그룹

하나님의 갑옷을 입어요

준비물 ▶ 영유아부 교재 20쪽, 색연필

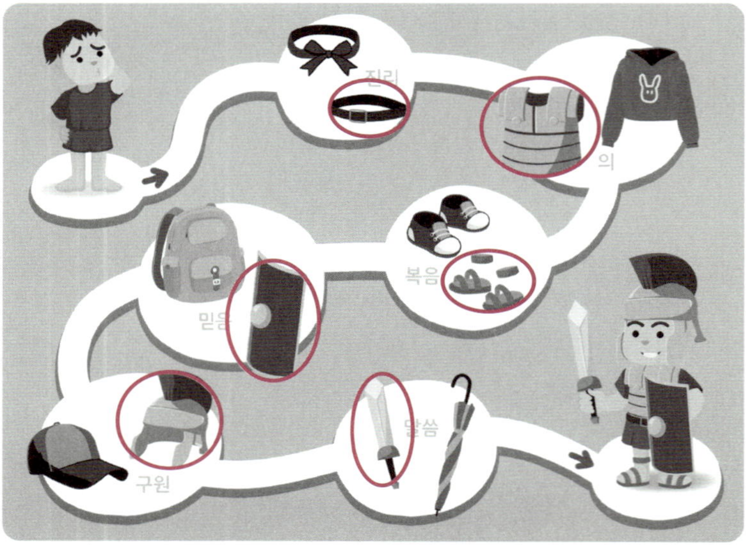

❶ 예수님을 위해 살아가려면 준비가 필요하다고 말해 준다.

❷ 영유아부 교재 20쪽의 아이가 하나님의 전신 갑주를 바르게 찾아 입을 수 있도록 색연필로 ○표 하면서 길을 따라가게 한다.

인도자 하나님의 전쟁을 하려면 하나님의 갑옷을 입어야 해요. 우리 힘만으로는 전쟁에서 이길 수 없어요. 하나님이 함께하셔야 하지요. 하나님은 우리를 강하게 하세요. 그리고 하나님의 말씀과 능력으로 우리를 도우세요.

칼과 방패를 만들어요

준비물 ▶ 골판지, 칼, 가위, 매직, 색연필, 색종이, 풀

❶ 골판지에 긴 칼과 방패 테두리를 그리고 잘라 둔다. 칼에 '말씀'이라고 적고, 방패에는 '믿음'이라고 적어 둔다.

❷ '칼'과 '방패'를 아이들에게 하나씩 나눠 주고 색연필과 색종이로 꾸미게 한다.

인도자 예수님을 위해서 사는 것이 항상 쉽지는 않아요. 하지만 하나님은 우리를 강하게 해 주세요. 어려움을

겪을 때 하나님의 말씀으로 이길 수 있어요. 말씀의 칼과 믿음의 방패를 들고 "나는 하나님의 군인입니다!"라고 외쳐 볼까요?

영차, 영차 대그룹

릴레이 영적 전쟁을 해요

준비물 ▶ 검은색 풍선을 포함한 다양한 색의 풍선, '알콩달콩 소그룹 - 칼과 방패를 만들어요'에서 만든 골판지 칼, 김장 비닐봉지

❶ 검은색을 포함한 다양한 색의 풍선을 불어 예배실 안에 흩트려 둔다.

❷ 아이들에게 검은색 풍선은 '거짓'이라고 말해 주고, '칼'로 검은색 풍선만 쳐서 터뜨리게 한다.

❸ 검은색 풍선을 다 터뜨리면 나머지 풍선을 모아 김장 비닐봉지에 담고, 이 풍선들이 미움, 다툼, 불순종, 교만, 시기 등의 죄라로 말하고 발로 밟아 터뜨리게 한다.

인도자 예수님을 따르는 것이 항상 쉽지는 않아요. 때로는 전투하듯이 싸워야 할 때도 있어요. 하지만 그 싸움은 눈에 보이는 칼을 들고 싸우는 것이 아니에요. 보이지 않는 하나님의 말씀이라는 칼과 믿음의 방패를 들고 싸워야 해요. 예수님의 진리를 지키고 전하기 위해 성령님이 우리를 도우세요. **성령님은 우리가 하나님을 사랑하도록 도우세요.**

소곤소곤 꿀~꺽 간식

준비물 ▶ 건빵, 물, 접시, 컵

❶ 아이들에게 주변을 정리하게 하고, 화장실에 가거나 물티슈 등을 이용해 손을 씻을 시간을 준다.

❷ 감사 기도를 드리고 건빵과 물을 간식으로 나누어 준다. 간식을 먹으면서 건빵은 우리나라 군대에서 잘 먹는 과자라고 말해 준다. 목이 메지 않도록 물을 함께 마시게 한다.

신나는 마무리

준비물 ▶ 영유아부 교재 19쪽 활동지, 39쪽 메시지 카드, 42쪽 '이야기 성경' 스티커

❶ 활동지와 스티커, 메시지 카드를 나누어 주고 가족과 함께 오늘 배운 성경 이야기를 기억하라고 격려하며 가방을 정리해 준다.

가족과 활동해요

- '이야기 성경' 스티커를 붙이며 말씀을 기억해요.
- 아이들에게 군대와 관련한 사진(육군·해군·공군 군인, 전투기, 전투함, 미사일, 탱크 등)을 보여 주면서 군인과 전쟁에 관한 이야기를 들려주세요.
- 아이의 머리를 쓰다듬으면서 "구원의 투구를 쓰게 해 주세요", 가슴과 등을 톡톡 치면서 "의로움으로 가득 차게 해 주세요", 양손을 만지면서 "말씀의 칼과 믿음의 방패를 주세요", 허리를 만지면서 "진리로 강해지게 해 주세요", 발을 만지면서 "복음의 신을 신게 해 주세요"라며 축복하는 기도를 해 주세요.

❷ 축복과 파송의 메시지를 담은 찬양을 부르며 인사한다.

❸ 아이를 데리러 온 보호자에게 아이가 특별히 즐거워했거나 잘했던 활동들에 대해 이야기해 주고, 가정에서 활동지와 스티커, 메시지 카드를 활용해 말씀을 들려주도록 격려한다.

10

기쁘게 주어요

(고후 8:1~15, 9:6~15)

가스펠 포인트

하나님은 우리에게 필요한 것을 모두 주세요.
그리스도인은 예수님을 사랑하기 때문에 기쁜 마음으로 헌금해요.
우리는 사람들에게 좋은 소식을 전하는 일을 위해 헌금해요.

단원 주제

성령님은 우리가 하나님을 사랑하도록 도우세요.

단원 암송

새 사람이 되었어요(고후 5:17).

본문 속으로

바울은 고린도 교회에서 일어난 몇 가지 죄를 먼저 쓴 편지(고린도전서)에서 다루었습니다. 물론 그 편지에는 위험이 따랐습니다. 고린도 교회의 성도들이 바울을 등질 수도 있었기 때문입니다. 그러나 고린도 교회의 성도들은 그렇게 하지 않았습니다. 바울은 고린도후서를 쓰면서 하나님이 교회에 행하신 일을 높이고, 고린도 교회에 도움을 요청했습니다. 당시 예루살렘 교회는 도움이 절박하게 필요한 상황이었습니다. 그래서 바울은 예루살렘 교회를 돕기 위해 헌금을 모으고 있었습니다.

바울은 고린도 교회의 성도들에게 아낌없이 헌금할 것을 독려했습니다. 그는 마케도니아에 있는 교회에 관한 이야기를 들려주었습니다. 마케도니아는 고린도 북부에 있는 지역입니다. 그곳의 그리스도인들은 시련을 겪고 있었고 부유하지도 않았습니다. 그럼에도 불구하고 그들에게는 기쁨이 넘쳤고, 그들은 힘을 다해 다른 사람들을 도왔습니다.

바울은 고린도 교회의 성도들에게 헌금을 권했습니다. 무언가를 나누는 일은 우리가 하나님을 사랑한다는 것을 보여 주는 방법 중 하나입니다. 하나님은 우리에게 아낌없이 주십니다. 그래서 우리도 다른 사람들에게 아낌없이 줄 수 있습니다. 예수님은 부유하신 분이었습니다. 하늘의 영광과 명예를 모두 가지신 분이었습니다. 하지만 이 땅에 오셔서 죄인들을 구하기 위해 그 모든 것을 버리셨습니다.

예수님은 아무것도 가진 것 없는 우리를 부유하게 하려고 자신의 모든 것을 버리셨습니다. 이제 우리는 예수님 안에서 구원과 영원한 생명을 얻었습니다. 그래서 바울은 고린도 교회의 성도들 역시 하나님께 받은 것들을 아낌없이 기쁜 마음으로 나누기를 바랐던 것입니다.

●● 티칭 포인트

여러분이 가르치는 아이들도 마케도니아 성도들처럼 나누어 줄 것이 없다고 생각할 수 있습니다. 하지만 바울이 고린도 교회를 격려했던 것처럼 여러분도 아이들을 격려해 주십시오. 많이 나누어야 하나님이 영광을 받으시는 것이 아닙니다. 기쁜 마음으로 아까워하지 않고 주는 것이 중요합니다.

아이들이 의무감이 아닌 감사하는 마음으로 나누도록 독려해 주십시오. 하나님은 기쁘게 주는 사람을 사랑하십니다(고후 9:7 참조). 자신이 속한 도시나 국가나 세계를 위해 어떤 것을 나눌 수 있을지 아이들과 함께 생각해 보십시오. 그것은 시간일 수도 있고 돈이나 재능일 수도 있습니다.

이야기 성경

기쁘게 주어요

고후 8:1~15, 9:6~15

바울은 예루살렘 교회를 위해 돈을 모으고 있었어요. 그들은 도움이 필요했어요! 바울은 고린도 교회의 성도들에게 도와 달라고 편지를 썼어요. 그들은 친구였거든요. 마케도니아 교회에서 경험한 하나님의 은혜도 들려주었지요.

마케도니아에 있는 성도들은 고통을 겪고 있었어요. 가진 것도 많지 않았지요. 하지만 그들은 기쁜 마음으로 헌금했어요. 힘들어도 다른 사람들을 기쁜 마음으로 도왔지요. 바울은 고린도 교회의 성도들도 이와 같이 헌금하라고 격려했어요.

나눔은 우리가 하나님을 사랑한다는 것을 보여 줄 수 있는 방법이에요. 하나님은 우리에게 필요한 것을 기뻐하며 주세요. 우리도 기뻐하며 다른 사람에게 그들이 필요한 것을 줄 수 있어요. 예수님은 하늘의 모든 좋은 것을 버리시고 우리를 구원하려고 이 땅에 오셨어요. 우리는 원래 가진 것이 없었어요. 하지만 예수님을 통해 구원받고, 하나님과 함께 영원히 살게 되었어요.

고린도 교회의 성도들은 마케도니아 성도들만큼 가난하지 않았어요. 그들에게는 충분한 돈이 있었어요. 바울은 그들에게 "부족한 사람들에게 가진 것을 나눠 주십시오. 그러면 모든 사람이 필요한 만큼 가지게 될 것입니다"라고 말했어요. 하나님은 기쁘게 주는 사람을 사랑하세요. 우리가 헌금하면, 하나님은 교회를 통해 형편이 어려운 사람을 돕는 데 사용하세요. 그러면 도움 받은 사람은 하나님께 감사하게 되지요. 바울은 "기쁘게 주는 것은 여러분이 예수님에 관한 기쁜 소식인 복음을 믿는다는 증거입니다. 세상에서 가장 놀라운 선물인 하나님의 아들 예수님을 주신 하나님께 감사드립시다!"라고 말했어요.

●● 예수님 생각하기

하나님은 우리에게 필요한 모든 것을 주셨어요. 하나님의 아들까지 우리에게 아낌없이 주셨지요. 예수님은 우리를 죄에서 구원하려고 자신의 모든 것을 주셨어요. 자신의 생명까지도요! 예수님 때문에 우리도 다른 사람에게 아낌없이 나누어 줄 수 있어요.

가스펠 준비

싱글벙글 — 환영해요

USB

"성령의 열매"(지도자용 팩)을 튼다. 아이들을 반갑게 맞이하며 헌금과 기도를 도와준다. 예배 중에 헌금 순서가 있다면 헌금을 잘 간수하도록 돕는다. 가방과 옷을 정리하도록 안내한다. 새로 온 아이에게는 음수대와 화장실의 위치를 알려 주고, 보호자와 만나는 시간과 방법 등을 소개한다. 보호자를 위한 안내문을 붙여 끝나는 시간, 기다리는 장소, 헌금 방법, 아이에 대한 특별한 주의 사항을 교사에게 미리 알려 달라는 당부 등을 공지한다.

너랑 나랑 — 마음 열기

아이들이 편안하고 친숙하게 하나님께 마음을 열고, 하나님을 알아 가도록 돕는 놀이 환경을 제공한다. 흥미를 유발할 수 있는 놀잇감으로 자유 놀이 영역을 구성한다. 단원별 공통 활동에 각 과의 주제와 연결된 활동 영역을 추가하여 아이들이 자유롭게 선택하게 한다. 충분히 활동할 수 있도록 20분 정도 할애하는 것이 좋다.

자유 놀이 구성

- >모래 놀이 >성령의 공 던지기
- 소풍 놀이
- 글자 도장 찍기
- 기쁘게 주기
- 씨앗 셰이커 흔들기
- 마음 찾기
- 성경 읽기
- 돈 보여 주기

기쁘게 주기

준비물 ▶ 한 입 거리 간식

❶ 아이들에게 배고픈 사람은 손을 들어 보라고 한다.

❷ 손을 든 아이들에게 "○○[아이 이름]에게 줄 수 있어서 기뻐요"라고 말하며 간식을 하나씩 나누어 준다.

인도자 여러분에게 간식을 줄 때 기쁜 마음으로 줬어요. 왜냐하면 저는 예수님을 믿기 때문이에요. 예수님을 믿는 사람은 왜 기쁘게 줄 수 있을까요? 예수님을 사랑하기 때문이에요! 오늘 성경 이야기를 잘 들어 보아요.

돈 보여 주기

준비물 ▶ 장난감 돈

❶ 아이들에게 돈으로 무엇을 할 수 있는지 물어본다.

❷ 돈으로 할 수 있는 좋은 일은 어떤 것이 있는지 이야기를 나눈다.

인도자 돈으로 여러 가지를 할 수 있어요. 좋은 옷을 살 수도 있고, 맛있는 음식을 살 수도 있어요. 그런데 이 돈으로 할 수 있는 일이 또 하나 있어요. 바로 헌금이에요. 헌금한 돈은 다른 사람을 돕는 일에 쓰여요. 예수님을 사랑하는 사람은 기쁘게 헌금할 수 있어요. 왜 그런지 성경 이야기를 잘 들어 보아요.

가스펠 설교 대형으로 모이기

• 카운트다운 영상, 모이기 노래 등을 활용해 설교 대형으로 바꾸고 마음을 준비하게 한다.

가스펠 설교

하나 — 성경 이야기

tip

• 헌금 봉투 보여 주기 : 교회의 헌금 봉투를 가져와서 하나씩 보여 주며 설명해 준다. 주일 헌금, 구제 헌금 외에도 선교 헌금, 구제 헌금, 미자립 교회 헌금, 북한 사역 헌금 등 교회가 돕고 있는 일을 소개한다.

USB

아이들에게 성경을 나눠 주고 펼치게 한다. 제목을 말하고, 성경 본문의 핵심 부분을 읽어 준다. 말씀 듣기 시간을 알려 주는 찬양을 부른 후 성경 이야기를 읽어 주거나 설교 영상(지도자용 팩)을 보여 준다.

예수님은 제자들에게 온 세상 사람들에게 예수님을 전하라고 말씀하셨어요. 점점 많은 도시에 교회가 세워졌어요. 그런데 예루살렘 교회가 어려움에 빠져 도움이 필요했어요! 바울은 그리스도인들에게 편지를 써서 헌금하는 것에 관해 말했어요. 바울이 말했어요. "예수님은 하나님의 아들입니다. 모든 것이 예수님의 것입니다. 그런데도 예수님은 우리를 위해 모든 것을 버리셨습니다. 우리도 예수님을 향한 우리의 사랑을 표현하기 위해 예수님께 드릴 수 있습니다. 하나님의 교회에 무엇을 줄 수 있을지 기도해 보고 기쁜 마음으로 내십시오. 하나님은 기쁘게 주는 사람을 사랑하십니다. 여러분에게 필요한 것은 모두 하나님이 주십니다. 여러분을 사랑하시기 때문입니다. 우리는 하나님이 우리를 통해 사람들이 좋은 소식을 듣고 믿게 하시는 일에 감사할 수 있습니다."

둘 — 가스펠 포인트

하나님은 우리에게 필요한 것을 모두 주세요.
그리스도인은 예수님을 사랑하기 때문에 기쁜 마음으로 헌금해요.
우리는 사람들에게 좋은 소식을 전하는 일을 위해 헌금해요.

"우리 모두 다 함께" 곡에 맞춰 다음 가사로 노래를 부르며 메시지를 정리한다.

♪

하나님은 성령님을 보내서 [짝짝!]
우리가 예수님을 사랑하고 [짝짝!]
우리가 친구에게 예수님을 전하게
성령님은 우리를 도우셔! [짝짝!]

성령님은 우리가 하나님을 사랑하도록 도우세요. 성령님은 우리에게 필요한 것은 모두 하나님이 주신다는 것을 알려 주시고, 우리가 다른 사람에게 즐거운 마음으로 주게 하세요.

셋 — 복음 초청

성경과 복음 초청 가이드(65쪽)를 이용해서 아이들에게 그리스도를 소개한다.

예수님을 믿고 싶은 친구는 함께 기도해요.

넷 — 기도

하나님, 나누는 기쁨이 무엇인지 알려 주셔서 감사해요. 우리가 받은 것이 많아요. 무엇보다 가장 좋은 선물인 예수님을 보내 주셔서 감사합니다. 예수님 이름으로 기도합니다. 아멘.

다섯 — 암송송

2단원 암송송(136쪽)을 손유희와 함께 부르거나, 일부 구절 또는 간단하게 줄인 문장을 활용할 수 있다.

"그런즉 누구든지 그리스도 안에 있으면 새로운 피조물이라 이전 것은 지나갔으니 보라 새것이 되었도다"(고후 5:17).

"새 사람이 되었어요."

알콩달콩 소그룹

기쁘게 주어요

준비물 ▶ 영유아부 교재 22쪽, 41쪽 '기쁘게 주어요' 스티커, 색연필

❶ 각 그림이 어떤 상황인지 이야기를 나눈다.

❷ 영유아부 교재 41쪽 '기쁘게 주어요' 스티커를 떼어, 각 상황에 필요한 물건을 알맞게 붙이게 한다.

❸ 물건을 나누어 주는 아이의 표정이 어떨지 물어보고, 표정을 색연필로 그리게 한다.

인도자 하나님은 우리에게 필요한 모든 것을 주세요. 우리는 사람들에게 좋은 소식 전하는 일을 위해 헌금해요. **성령님은 우리가 하나님을 사랑하도록 도우세요.**

헌금통을 만들어요

준비물 ▶ 500ml 우유 팩, 포장지, 딱풀, 나무 막대, 칼

❶ 우유 팩을 깨끗하게 씻어 말린다.

❷ 우유 팩을 포장지로 감싸고, 나무 막대로 십자가 모양을 만들어 붙이게 한다.

tip 우유 팩을 아크릴 물감으로 칠하거나 천 조각을 붙여도 좋다.

❸ 칼로 동전 구멍을 뚫어 준다.

인도자 하나님은 우리에게 필요한 것을 주세요. 그리스도인은 예수님을 사랑하기 때문에 기쁜 마음으로 헌금해요. 우리는 사람들에게 좋은 소식 전하는 일을 위해 헌금해요.

헌금을 모아요

준비물 ▶ 다양한 물건(장난감, 블록, 과자, 스티커 등), 장난감 돈, 책상

❶ 책상에 다양한 물건을 올려놓고, 아이들에게 같은 금액의 장난감 돈을 나누어 준다.

❷ 인도자는 물건을 파는 사람, 아이들은 물건을 사는 사람이 되어 시장 놀이를 한다.

❸ 놀이가 끝난 후 모인 장난감 돈을 진짜 돈으로 바꿔 선교지에 헌금해 그곳 사람들을 도와줄 것이라고 말한다.

인도자 하나님은 우리에게 필요한 모든 것을 주세요. 그리스도인은 예수님을 사랑하는 마음으로 헌금해요. 헌금을 통해 하나님이 기뻐하시는 일을 할 수 있어요. 하나님을 모르는 사람들에게 하나님과 예수님을 전할 수 있어요. **성령님은 우리가 하나님을 사랑하도록 도우세요.**

소곤소곤 꿀~꺽 간식

준비물 ▶ 동전 초콜릿, 우유, 컵

❶ 아이들에게 주변을 정리하게 하고, 화장실에 가거나 물티슈 등을 이용해 손을 씻을 시간을 준다.

❷ 감사 기도를 드리고 동전 초콜릿과 우유를 간식으로 나누어 준다. 예루살렘 교회를 위해 헌금했던 것처럼 우리도 선교사님과 선교지, 어려운 교회 등 도움이 필요한 곳을 돕기 위해 헌금할 수 있다고 말해 준다.

신나는 마무리

준비물 ▶ 영유아부 교재 21쪽 활동지, 39쪽 메시지 카드, 42쪽 '이야기 성경' 스티커

❶ 활동지와 스티커, 메시지 카드를 나누어 주고 가족과 함께 오늘 배운 성경 이야기를 기억하라고 격려하며 가방을 정리해 준다.

가족과 활동해요

- '이야기 성경' 스티커를 붙이며 말씀을 기억해요.
- 교회에서 만든 헌금통에 아이와 함께 일주일 동안 헌금을 모아 보세요. 모은 헌금을 다음 주일에 헌금해 보세요.
- 자녀 이름으로 선교지에 헌금해 보세요.

❷ 축복과 파송의 메시지를 담은 찬양을 부르며 인사한다.

❸ 아이를 데리러 온 보호자에게 아이가 특별히 즐거워했거나 잘했던 활동들에 대해 이야기해 주고, 가정에서 활동지와 스티커, 메시지 카드를 활용해 말씀을 들려주도록 격려한다.

11

믿음의 사람들

(히 11:1~12:2)

가스펠 포인트

믿음은 하나님이 약속을 지키신다고 굳게 믿는 거예요.
성경에 나오는 많은 사람이 하나님을 믿었어요.
우리는 하나님이 우리를 구하시려고 예수님을 보내신 것을 믿어요.

단원 주제

성령님은 우리가 하나님을 사랑하도록 도우세요.

단원 암송

새 사람이 되었어요(고후 5:17).

본문 속으로

흔히 사람들은 믿음을 그저 우리 안에 있는 어떤 것이라고 생각합니다. 하나님에 대한 신뢰와 확신이라고 생각하지요. 그것이 믿음의 모습인 것은 분명하지만, 믿음의 전부는 아닙니다. 믿음은 우리 안에서 시작해 언제나 행동으로 이어집니다.

히브리서의 저자는 초대교회의 유대인 성도들에게 온전한 믿음에 관해 설명하고자 했습니다. 구약성경에 나오는 믿음으로 산 사람들의 삶을 본보기로 들면서 믿음에 관해 이야기했습니다. 그것이 바로 이른바 '믿음의 전당'이라고 불리는 히브리서 11장입니다.

아벨이 믿음으로 하나님께 제사를 드리자 하나님이 그 제사를 받으셨습니다. 노아에게도 믿음이 있었습니다. 하나님이 방주를 지어 가족을 구하라고 하셨을 때 그는 하나님을 믿었습니다. 아브라함은 고향을 떠나라는 하나님의 부르심에 믿음으로 순종했습니다. 아브라함의 아내 사라가 아이를 낳을 수 없을 만큼 늙었음에도 자녀를 주시겠다는 하나님의 약속을 믿은 것도 믿음이었습니다. 이삭, 야곱, 요셉, 모세도 믿음의 사람들이었습니다. 라합은 여리고성에 숨어든 이스라엘 정탐꾼들을 믿음으로 숨겨 주었습니다.

이들은 모두 하나님을 믿었습니다. 수많은 다른 믿음의 사람도 그랬습니다. 믿음을 지키는 것은 쉬운 일이 아니었습니다. 많은 사람이 고난을 받았습니다. 그리고 그들은 모두 하나님의 가장 위대한 약속이 이루어지기 전, 즉 예수님이 오시기 전에 죽었습니다. 그럼에도 그들은 하나님의 놀라운 계획을 믿었습니다. 하나님은 하나님을 믿는 그들의 모습을 기뻐하셨습니다.

●● 티칭 포인트

믿음의 사람들에 관한 이야기를 통해 행동하는 믿음이 무엇인지 아이들이 이해할 수 있도록 도와주십시오. 우리는 이런 본보기들을 통해 믿음이 무엇인지 배울 수 있습니다. 이것이 바로 하나님이 우리에게 히브리서 11장을 주신 이유입니다. 하지만 믿음의 사람들도 모두 구원을 받아야 하는 죄인이었다는 점을 강조하십시오.우리를 죄에서 구원하시는 완전한 믿음의 본보기이신 예수님을 아이들이 바라볼 수 있도록 도와주십시오.

이야기 성경

믿음의 사람들

히 11:1~12:2

예수님을 사랑하는 사람은 믿음으로 살아요. 믿음이란 눈으로 본 적이 없지만 믿는 것이에요. 믿음이란 하나님을 믿는 것이지요. 믿음으로 우리는 하나님이 자신에 대해 말씀하신 것과 하나님이 하겠다고 말씀하신 모든 일을 다 이루실 것을 믿어요. 믿음이 없이는 하나님을 기쁘시게 해 드릴 수 없어요.

하나님은 수많은 성경 인물의 믿음을 기뻐하셨어요. 아벨이 믿음으로 하나님께 제사를 드리자 하나님은 그 제사를 받으셨어요. 노아도 믿음의 사람이었어요. 그는 방주를 지어 가족을 구하라는 하나님의 말씀을 믿고 순종했어요. 하나님은 노아의 믿음을 보고 기뻐하셨어요.

아브라함은 고향을 떠나라는 하나님의 부르심에 믿음으로 순종했어요. 하나님이 아브라함에게 약속하셨을 때 아브라함은 하나님의 약속을 믿었어요. 아브라함의 아내 사라도 믿음이 있었어요. 사라는 아이를 낳을 수 없을 만큼 늙었지만 아이를 주겠다는 하나님의 말씀을 믿었지요. 하나님은 아브라함과 사라에게 수많은 자손을 주셨어요.

이삭, 야곱, 요셉, 모세도 믿음의 사람이었어요. 라합은 여리고성에 숨어든 이스라엘 정탐꾼들을 믿음으로 숨겨 주었어요. 다윗에게도 믿음이 있었어요.

수많은 믿음의 사람이 하나님을 믿고 의지했어요. 믿음으로 사는 일은 쉽지 않아요. 많은 사람이 힘들어 했고 하나님의 가장 위대한 약속인 예수님이 오시기 전에 죽었어요. 그럼에도 그들은 하나님의 놀라운 계획을 믿었어요. 하나님은 이렇게 하나님을 믿고 의지하는 그들의 믿음을 보시고 기뻐하셨어요.

우리도 하나님의 놀라운 계획을 알고 있어요. 하나님은 아들이신 예수님을 메시아로 보내 사람들을 죄에서 구원하겠다는 약속을 지키셨어요. 예수님이 우리에게 믿음을 주세요. 우리는 하나님의 약속을 모두 이루시는 예수님을 바라보기만 하면 돼요.

●● 예수님 생각하기

성경은 믿음으로 산 사람들의 본보기를 보여 주어요. 그중에 진정한 믿음의 본보기는 예수님이세요. 예수님은 하나님의 계획을 믿고 순종하셨어요. 십자가에서 죽어야 하는데도 말이에요. 예수님 때문에 하나님의 모든 약속이 이루어질 거예요. 언젠가 예수님은 하나님이 약속하신 대로 다시 오실 거예요.

싱글벙글 — 환영해요

USB

"성령의 열매"(지도자용 팩)을 튼다. 아이들을 반갑게 맞이하며 헌금과 기도를 도와준다. 예배 중에 헌금 순서가 있다면 헌금을 잘 간수하도록 돕는다. 가방과 옷을 정리하도록 안내한다. 새로 온 아이에게는 음수대와 화장실의 위치를 알려 주고, 보호자와 만나는 시간과 방법 등을 소개한다. 보호자를 위한 안내문을 붙여 끝나는 시간, 기다리는 장소, 헌금 방법, 아이에 대한 특별한 주의 사항을 교사에게 미리 알려 달라는 당부 등을 공지한다.

너랑 나랑 — 마음 열기

아이들이 편안하고 친숙하게 하나님께 마음을 열고, 하나님을 알아 가도록 돕는 놀이 환경을 제공한다. 흥미를 유발할 수 있는 놀잇감으로 자유 놀이 영역을 구성한다. 단원별 공통 활동에 각 과의 주제와 연결된 활동 영역을 추가하여 아이들이 자유롭게 선택하게 한다. 충분히 활동할 수 있도록 20분 정도 할애하는 것이 좋다.

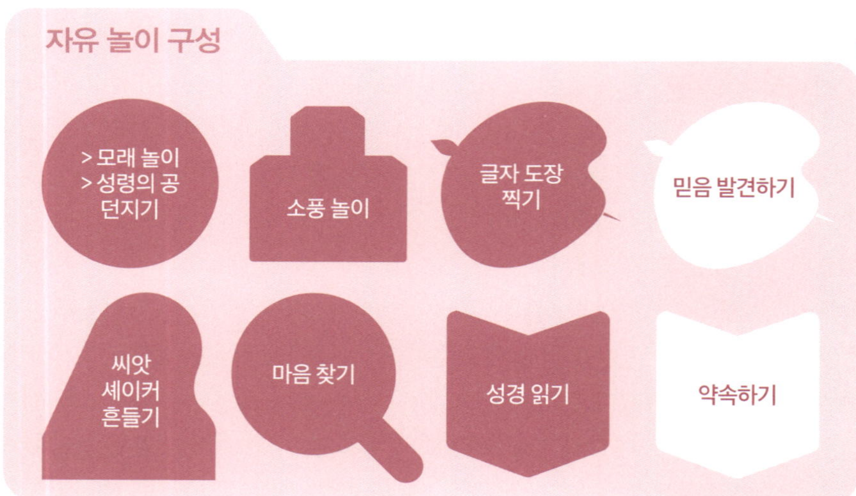

믿음 발견하기

준비물 ▶ 도화지, 물풀, 색 습자지

❶ 도화지에 물풀로 '믿음'이라고 적는다.

❷ 아이들에게 색 습자지를 잘게 찢어 도화지 위에 뿌리게 한다.

❸ 도화지를 털어 나타난 글자를 읽어 주고 따라 읽게 한다.

인도자 '믿음'이라는 단어가 나타났어요! 함께 읽어 볼까요? 믿음! 믿음은 하나님이 약속을 지키시는 걸 아는 거래요. 믿음을 보여 준 사람들은 누가 있는지 성경 이야기를 잘 들어 보아요.

약속하기

❶ 인도자가 아이들과 약속한다.

예) 아이들의 성경을 가져가면서 "조금 있다가 다시 가져올게요"라고 약속한다.

❷ 얼마 후 약속한 대로 행동한 뒤 아이들에게 "약속을 잘 지켰죠?"라고 말한다.

인도자 제가 약속을 잘 지킬 거라고 믿었나요? 여러분이 믿든지 믿지 않든지 저는 약속을 지켰어요. 하나님도 약속을 꼭 지키세요. 약속을 지킬 것을 아는 걸 믿음이라고 해요. 어떤 사람들이 이런 믿음을 보였을까요? 성경 이야기를 잘 들어 보아요.

가스펠 설교 대형으로 모이기

- 카운트다운 영상, 모이기 노래 등을 활용해 설교 대형으로 바꾸고 마음을 준비하게 한다.

가스펠 설교

하나 — 성경 이야기

tip

- 믿음의 어른들 소개하기 : 교회 안에 있는 믿음의 어른(교회 담임 목사님, 부교역자, 장로님, 권사님 등)의 사진을 보여 주거나 직접 찾아와 소개하는 시간을 갖는다.
- 믿음의 가계도 만들기 : 나무 뿌리 모양과 같은 가계도에 신앙 인물들의 사진을 붙이고 맨 위에 예수님을 붙여 믿음의 뿌리가 어떻게 이어져 왔는지 설명해 준다.

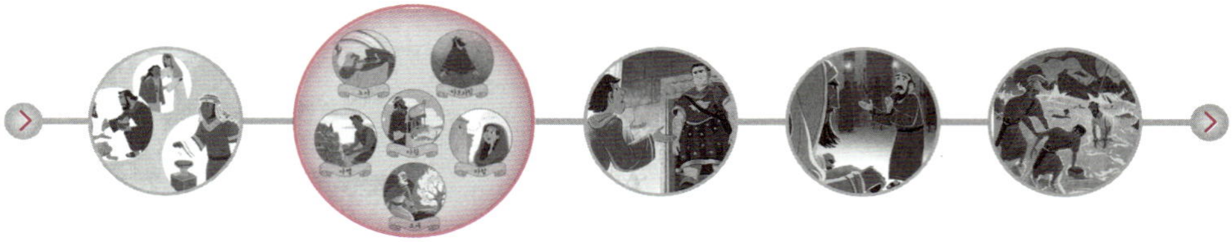

USB

아이들에게 성경을 나눠 주고 펼치게 한다. 제목을 말하고, 성경 본문의 핵심 부분을 읽어 준다. 말씀 듣기 시간을 알려 주는 찬양을 부른 후 성경 이야기를 읽어 주거나 설교 영상(지도자용 팩)을 보여 준다.

예수님을 사랑하는 사람은 믿음으로 살아요. 믿음은 하나님이 약속하신 것이 눈에 안 보여도 반드시 그렇게 될 것이라고 굳게 믿는 거예요. 믿음이 없으면 하나님을 기쁘시게 할 수 없어요. 믿음은 하나님이 실제로 계시고, 하나님의 말씀은 참이며, 하나님이 자기를 믿고 의지하는 사람을 돌보신다는 것을 알려 줘요. 성경에 나오는 많은 사람이 하나님을 믿었어요. 아브라함은 많은 자손을 주겠다는 하나님의 약속을 믿었어요. 요셉은 이집트에 살면서도 하나님이 언젠가 하나님의 백성을 약속하신 땅으로 데려가실 것이라고 믿었어요. 모세는 하나님이 이집트 왕에게서 하나님의 백성을 구하실 것이라고 믿었어요. 라합은 여리고성이 무너져도 하나님이 자기 가족을 구하실 것이라고 믿었어요. 성경에 나오는 많은 사람이 하나님이 예수님을 보내실 것이라고 믿었어요! 우리는 하나님이 우리를 구하시려고 예수님을 보내셨다는 것을 믿어요.

둘 — 가스펠 포인트

믿음은 하나님이 약속을 지키신다고 굳게 믿는 거예요.
성경에 나오는 많은 사람이 하나님을 믿었어요.
우리는 하나님이 우리를 구하시려고 예수님을 보내신 것을 믿어요.

"우리 모두 다 함께" 곡에 맞춰 다음 가사로 노래를 부르며 메시지를 정리한다.

♪ 하나님은 성령님을 보내서 [짝짝!]
우리가 예수님을 사랑하고 [짝짝!]
우리가 친구에게 예수님을 전하게
성령님은 우리를 도우셔! [짝짝]

하나님은 우리가 하나님의 말씀을 믿는 믿음으로 하나님을 사랑하도록 도우세요.

셋 — 복음 초청

성경과 복음 초청 가이드(65쪽)를 이용해서 아이들에게 그리스도를 소개한다.

예수님을 믿고 싶은 친구는 함께 기도해요.

넷 — 기도

하나님, 성경에 나오는 믿음의 사람을 많이 알게 되었어요. 우리도 믿음의 사람이 되게 해 주세요. 예수님 이름으로 기도합니다. 아멘.

다섯 — 암송송

2단원 암송송(136쪽)을 손유희와 함께 부르거나, 일부 구절 또는 간단하게 줄인 문장을 활용할 수 있다.

"그런즉 누구든지 그리스도 안에 있으면 새로운 피조물이라 이전 것은 지나갔으니 보라 새것이 되었도다"(고후 5:17).

"새 사람이 되었어요."

여섯 — 가스펠 스토리

USB

'하나님의 구원 계획' 영상(지도자용 팩)과 '신약5 훑어보기' 영상(지도자용 팩)을 보여 주며 마무리한다.

가스펠 활동

알콩달콩 소그룹

나도 믿음의 사람이에요

준비물 ▶ 영유아부 교재 24쪽, 색연필

❶ 각 장면의 그림자에 알맞는 인물이 누구인지 물어보고, 그 인물에 관련된 이야기를 간단하게 들려준다.

❷ 색연필로 선을 그어 성경 인물과 장면을 이어 보게 한다.

인도자 성경에 나오는 많은 사람이 하나님을 믿었어요. 믿음은 하나님이 약속을 지키신다고 굳게 믿는 거예요. **성령님은 우리가 하나님을 사랑하도록 도우세요.** 하나님이 지시하시는 땅으로 간 아브라함, 하나님이 도우실 것을 믿은 요셉, 하나님이 시키신 대로 백성을 이끈 모세, 하나님을 믿은 라합은 믿음의 사람들이에요. 우리도 믿음의 사람이 되기로 약속해요.

믿음의 사람들을 기억해요

USB

준비물 ▶ '믿음의 사람들'(지도자용 팩), A4 용지, 8절 도화지, 옅은 색 사인펜, 풀, 가위, 스티커

❶ '믿음의 사람들'(지도자용 팩)을 A4 용지에 프린트해 잘라 두고, 도화지에 '믿음'이라고 사인펜으로 크게 적어 둔다.

❷ 아이들에게 도화지에 있는 선 위에 스티커를 붙여 '믿음' 글

자를 만들게 한다.

❸ '믿음의 사람들'을 글자 옆에 붙여 꾸미게 한다.

인도자 '믿음' 글자 옆에 있는 사람들은 누구인가요? 이 사람들은 모두 하나님의 약속을 믿었어요. 우리도 하나님의 약속을 믿어요. 특히 예수님에 관한 약속을 믿지요!

믿음의 팔찌를 만들어요

준비물 ▶ 작은 십자가 모양 비즈, 여러 색깔의 비즈, 15cm 우레탄 줄

❶ 아이들에게 우레탄 줄을 주고 비즈를 끼우게 한다. 마지막에는 작은 십자가 모양을 끼우게 한다.

❷ 비즈를 다 끼우면 인도자가 줄을 묶어 팔찌를 완성한다.

인도자 우리는 모두 믿음의 사람이에요. 이 팔찌를 보면서 하나님의 약속을 기억해요. 예수님이 다시 오신다는 약속을 말이에요.

영차, 영차 — **대그룹**

믿음의 길을 걸어요

준비물 ▶ 시트지, 가위, '알콩달콩 소그룹 – 믿음의 팔찌를 만들어요'에서 만든 팔찌

❶ 시트지로 높이 15cm의 십자가를 인원수보다 많이 만들어 예배실 곳곳에 숨겨 둔다.

❷ 아이들에게 '믿음의 팔찌'를 찬 팔을 위로 올리며 "나는 예수님이 다시 오실 것을 믿어요!"라고 외치게 한다.

❸ 예배실에서 믿음을 가지고 십자가를 찾아 보라고 한다.

❹ 십자가를 찾으면 접착 면을 떼어 아이들 가슴에 붙여 준다.

인도자 믿음은 하나님이 약속을 지키신다고 굳게 믿는 거예요. 성경에 나오는 많은 사람이 하나님을 믿었어요. 노아, 아브라함, 모세 같은 사람들은 믿음의 길을 경험했어요. 우리도 하나님이 우리를 구하시려고 예수님을 보내신 것을 믿어요.

소곤소곤 꿀~꺽 간식

준비물 ▶ 떡이나 빵, 꿀

❶ 아이들에게 주변을 정리하게 하고, 화장실에 가거나 물티슈 등을 이용해 손을 씻을 시간을 준다.

❷ 감사 기도를 드리고 떡이나 빵 그리고 꿀을 간식으로 나누어 준다. 아이들이 꿀에 빵이나 떡을 찍어 먹으면서 달콤한 맛을 느끼게 한다. 꿀보다 더 달콤한 것이 하나님의 말씀이라고 말해 준다.

신나는 마무리

준비물 ▶ 영유아부 교재 23쪽 활동지, 39쪽 메시지 카드, 42쪽 '이야기 성경' 스티커

❶ 활동지와 스티커, 메시지 카드를 나누어 주고 가족과 함께 오늘 배운 성경 이야기를 기억하라고 격려하며 가방을 정리해 준다.

가족과 활동해요

- '이야기 성경' 스티커를 붙이며 말씀을 기억해요.
- 아이들이 가장 좋아하는 성경 이야기를 실감 나게 읽어 주세요. 온 가족이 성경 이야기로 역할극을 해도 좋아요.
- 우리 가족이 하나님을 굳게 믿는 믿음의 사람들이 되게 해 달라고 함께 기도하세요. 서로를 위해 한 문장씩 기도해 주세요.

❷ 축복과 파송의 메시지를 담은 찬양을 부르며 인사한다.

❸ 아이를 데리러 온 보호자에게 아이가 특별히 즐거워했거나 잘했던 활동들에 대해 이야기해 주고, 가정에서 활동지와 스티커, 메시지 카드를 활용해 말씀을 들려주도록 격려한다.

유아 · 유치부 사역자들이 기억해야 할 5가지

유아·유치부 사역은 아이들의 신앙의 기초를 세우고, 부모의 영적 성장을 도우며, 교회와 다음 세대를 위한 영적 지도자들을 길러 내는 중요한 사역입니다. 유아·유치부를 통한 양육은 부모와 아이의 삶에서 중요한 시기에 이루어집니다. 이 사역의 중요성을 기억하며 5가지 주의 사항을 점검하십시오.

1. 탁아와 예배의 차이 기억하기

아이들을 잘 돌보아 달라고 믿을 만한 사람에게 맡기는 것을 '탁아'라고 합니다. 예배는 아이들이 모여 하나님의 말씀을 듣고 하나님께 기도하며 찬양하는 시간입니다. 예배는 탁아의 수준을 넘어섭니다.

2. 소명 의식을 일깨우고 서로 격려하기

어린 영혼을 맡겨 주신 하나님의 부르심을 기억하고 서로 섬기십시오. 부서 사역이 얼마나 중요한지, 아이들과 부모들의 영적 성장에 얼마나 많은 영향을 끼칠 수 있는지를 기억하며 서로 중보하십시오.

3. 체계적인 교육 계획 세우기

교회와 부서의 형편에 맞게 교육 계획을 세우고, 적절한 교재를 선정하고, 커리큘럼에 맞게 계획을 실천하십시오. 교사 및 부모와 교육 계획을 공유하고 협력하는 것은 큰 힘이 됩니다.

4. 예배의 기본 틀 세우기

아이들의 특성을 고려해 예배의 길이와 순서를 일관성 있게 계획하는 것이 좋습니다. 그렇지 않으면 아이들과 교사들이 예배를 준비하는 데 어려움을 느끼고 임기응변으로 대처하게 될 것입니다. 성령의 인도하심을 따라 예배의 틀을 세우십시오.

5. 안전하고 청결하게 시설 관리하기

아이들의 안전을 생각하고, 위험 요소를 제거하며, 청결 유지에 힘써야 합니다. 음수대나 화장실도 안전하게 이용할 수 있도록 점검하십시오.

에릭 가이거(Eric Geiger)는 라이프웨이(LifeWay)의 부회장입니다. 교회 리더십 베스트셀러인 《단순한 교회》(생명의말씀사)의 저자이며, 공동 저술로 《예수 중심의 교회 : 그 교회에 가고 싶다》(두란노) 등이 있습니다.

아이들에게 삼위일체를 어떻게 설명할 것인가?

얼마 전 기자인 친구가 저에게 이메일을 보내 많은 그리스도인 부모가 던질 법한 질문을 했습니다. 바로 '삼위일체'라는 개념을 아이들에게 어떻게 설명할 것인가 하는 질문이었습니다. 많은 부모와 사역자가 이 질문에 공감하는 이유는 성인인 우리 자신도 그 교리를 정확하게 설명하지 못하기 때문이라고 생각합니다. 우리는 그저 "성경은 옳아"라고 말하면서 성경의 무오성을 가르칠 수 있습니다. 구속에 관해서도 "예수님이 우리 죗값을 치르셨고 영원히 살아 계셔"라고 말하면서 어느 정도 설명할 수 있겠지요. 하지만 삼위일체는 전혀 다른 문제입니다.

우리가 삼위일체에 대한 설명을 두려워하고 망설이는 이유는 기독교 복음에 대한 잘못된 이해와 상당한 연관이 있는 것 같습니다. 신학자 칼 헨리의 말처럼 기독교는 이성적이고 지적입니다. 그러나 기독교는 이성과 지성이 전부가 아닙니다. 복음은 다른 유의 지혜를 가리킵니다. 인간의 입을 닫게 만드는 그런 지혜 말입니다(사 55:8; 렘 8:9; 고전 1:19~20 참조).

하나님은 한 분이십니다. 그러면서 서로 영원한 관계로 맺어진 세 위격이십니다. 그리고 우리는 그 관계 안으로 초대받았습니다. 이것은 모순되지 않습니다. 하나님이 한 분으로 존재하는 방식은 세 분으로 존재하는 방식과 다릅니다. 그 반대의 경우도 마찬가지입니다. 어느 누가 이런 지혜를 특정한 공식이나 비유로 압축할 수 있겠습니까?

우리는 간혹 아이들의 궁금증을 해소해 주고 싶은 마음에 아이들을 위한 간단하고 쉬운 비유를 찾습니다. 삼위일체가 세 잎 클로버와 같다거나, 물·얼음·증기와 같다거나 하는 방식으로 쉽게 설명된다면 우리는 그 문제를 '넘어갈 수' 있을 테니까요. 우리는 삼위일체에는 이해하기 힘든 점이 있다고 말하면 아이들이 우리가 복음의 진리를 말할 때도 확신이 없다고 생각할까 봐 두려워합니다.

그러나 예수님은 아이들이 믿는 방식 중에 우리 모두에게 적용할 수 있는 것이 있다고 말씀하십니다. 예수님은 하나님의 나라에 들어가려면 아이들과 같이 되어야 한다고 하십니다. 어떤 면에서 이것은 맞는 말씀입니다. 아이들은 지극히 문자 그대로 받아들입니다. 저도 어릴 때 왜 그런지 모르겠지만 작은 형태의 내가 군복을 입고 마음속의 한 공간에 있는 것이 '영혼'이라고 생각했던 기억이 납니다.

그러나 더 중요한 것은, 아이들은 종종 어른들과는 다른 방식으로 신비와 역설을 잘 받아들인다는 것입니다. 아이들은 눈을 동그랗게 뜨고 경이로운 눈으로 세상을 탐험합니다. 모든 것을 다 이해하지 못하지만, 자신이 다 이해하지 못한다는 사실을 알고 있습니다. 바로 그것이 예수님이 칭찬하신 복된 무지(blessed ignorance)라고 저는 믿습니다. 믿기 위해서는 하나님이 하신 모든 말씀을 신뢰해야 합니다. 나아가 하나님에 대한 우리 자신의 이해에서 벗어나 있는 그대로의 하나님을 주님으로 보아야 합니다. 그나마 조금이라도 보려면 우리가 보는 것이 "거울로 보는 것같이 희미"(고전 13:12)하다는 것을 반드시 기억해야 합니다.

그렇다면 우리는 아이들에게 용감하게 말해야 합니다. "하나님은 한 분이시면서 세 위격이시란다. 하나님과 하나님의 방법은 워낙 크고 신비로워서 내가 다 설명할 수 없단다. 놀랍지 않니?"라고 말입니다. 아이들이 "도대체 무슨 말인지 하나도 모르겠어요"라고 말해도 걱정하지 마십시오. 당황하지 말고 눈을 반짝이며 이렇게 말하십시오. "알아! 나도 그래! 하지만 정말 신비하고 멋지지 않니?"

물론 그런다고 대화가 끝나지는 않을 것입니다. 오히려 대화가 시작되지요. 하지만 우리에게는 삼위일체의 실체를 탐구할 무수한 시간이 있습니다. 오직 시작하는 것이 필요할 뿐이지요.

그리고 경이로움과 경외심을 가지고 하나님이 한 분이신 동시에 세 위격이시라는 사실을 배우는 것은, 그리스도인과 무신론주의자 사이에 팽배한 메마른 합리주의에 대비해 예방 접종을 하는 것과 같습니다. 그러한 합리주의는 자칫하면 건조하고 절망적이고 비극적일만큼 평범한 삶을 초래합니다.

러셀 무어(Russell Moore) 박사는 남침례회 윤리 및 종교 자유 위원회(ERLC) 우 원장입니다. 무어 박사는 《입양의 마음》(복있는사람) 외에 다수의 저서를 냈습니다.

갈라디아서 2장20절

원곡 : 만왕의 예수께서(찬 151장)

작곡 : R. E. 허드슨
편곡 : 김효정

내가 그리스도와 함께
(양팔을 옆으로 폄)

십자가에 못 박혔나니
(손바닥을 손가락으로 번갈아가며 가리킴)

그런즉 이제는
(주먹을 불끈 쥠)

내가
(양손을 핌)

사는 것이 아니요
(두 손을 좌우로 흔듦)

오직 내 안에
(오른손 엄지, 왼손 받침)

그리스도께서
(십자가를 만듦)

사시는 것이라
(엄지 손가락을 핀 오른손을 가슴에 댐)

이제 내가 육체 가운데
(주먹을 불끈 쥠)

사는 것은
(주먹을 위아래로 흔듦)

나를 사랑하사
(오른손을 가슴에 댐)

나를 위하여 자기 자신을
(양손을 가슴에 댐)

버리신
(양손을 내림)

하나님의 아들을
(오른손 엄지, 왼손 받침)

믿는 믿음 안에서
(기도 손)

사는 것이라
(엄지 손가락을 든 오른손을 가슴에 댐)

고린도후서 5장 17절

작곡 : 김효정

그런즉 누구든지
(양손을 옆으로 펼침)

그리스도
(십자가를 만듦)

안에 있으면
(양손을 가슴에 포갬)

새로운 피조물이라
(양손으로 크게 원을 그림)

이전 것은 지나갔으니
(양손을 왼쪽, 오른쪽 차례로 사선으로 내림)

보라
(망원경 보듯이 손 모양을 만듦)

새것이 되었도다
(양손을 편 채 크게 원을 그림)